Die Aufzeichnungen des Pudels Ali sind das Diarium und Beschwerdebuch des gebildeten Snobs unter den Hunden. Ali, der nächtelang an einem genialischen Halbzeiler feilt, am Spinett ein wenig »mozärtelt« und einen seiner Sänftenträger entläßt, weil er in einem Roman von Günter Grass gelesen hat, wünscht sich eine heile und freundliche Welt. Dennoch bleibt ihm, dem Empfindsamen, ein Gefängnisaufenthalt wegen subversiver Gesinnung nicht erspart. Ali nutzt jedoch diese Zeit zu ausgedehnten Meditationsübungen und kehrt nur ungern in eine Welt zurück, in der sich seine Seele an jedem Lufthauch stößt.

Schnurre, der sich hier als großer Satiriker, Humorist und Kritiker unserer an tierischem Ernst nicht eben sonderlich armen Zeit erweist, führt die hochstilisierten Belanglosigkeiten gewisser Schöngeister auf ungemein treffende und vergnügliche Weise ad absurdum. »Dies Buch ist vielleicht das Köstlichste, was in dieser Zeit von einem deutschen Autor geschrieben wurde, die schönste Parodie auf allen Literaten- und Literaturbetrieb, die seit langem in Deutschland erschien.« (Paul Hühnerfeld)

Wolfdietrich Schnurre:
Die Aufzeichnungen des Pudels Ali
Mit Zeichnungen des Autors

Deutscher
Taschenbuch
Verlag

Von Wolfdietrich Schnurre
sind im Deutschen Taschenbuch Verlag erschienen:
Das Los unserer Stadt (sr 17)
Spreezimmer möbliert (sr 56)

dtv junior:
Die Zwengel (7070)

Ungekürzte Ausgabe
1. Auflage Juni 1965
3. Auflage April 1973: 31. bis 40. Tausend
Deutscher Taschenbuch Verlag GmbH & Co. KG,
München
© 1962 Walter-Verlag Olten und Freiburg im Breisgau
Umschlaggestaltung: Celestino Piatti
Gesamtherstellung: C. H. Beck'sche Buchdruckerei,
Nördlingen
Printed in Germany · ISBN 3-423-00301-4

Ali zum Gedächtnis
12. März 1948
6. Juni 1962

»Jerum, jerum, wie diese Welten verquicken?«
Pudel Ali

»Glühwürmchen auf der Spitze des
Elefantenstoßzahns:
Der Dichter in dieser Zeit.«
Pudel Ali

Einen Posten Rohseide angeboten bekommen. Liess mir eine Tunika daraus fertigen, in der schreibe ich nun. Jetzt noch ein lindes Parfüm für das Sitzkissen!

Das Söllerzimmer bereitet mir Kummer. Die Tapete zwar ist noch leidlich intakt, doch es hat keine Scheiben, ein Loch in der Decke, und der Fußboden fehlt. Laura meint: es dennoch vermieten. Ich schwanke.

Am Abendhimmel heute eine Wolke wie aus Pfirsichhaut und Marabudaunen. Warf ihr Kußhände zu und habe lange geweint.

Von einem Dackel aufgesucht worden; er gibt eine Kaninchenzeitschrift heraus und wollte eine Artikelserie von mir. Ließ ihn durch die Sänftenträger hinausexpedieren.

Gibt es eine Pudelzeitschrift? Nein. Wir Pudel haben Nützlicheres zu tun als Illustrierte zu lesen. Zu reifen zum Beispiel, spazierenzugehen, zu meditieren. [Reportagen zu sudeln ist Sünde; man schweigt oder dichtet.]

Untröstlich. Als ich am Stickrahmen saß, fiel mir eine Träne aufs Muster. Nun ist alles verdorben.

Über den Fleiß meditiert; er ist eine Schwäche. Nur der Unausgefüllte ist »fleißig«; unsereins ruht; [sei es in sich, sei es im All].

Wieder am Zyklus. Drei an hundert Sonetten fehlen mir noch. Doch es gärt weiter. Werde das Ganze »Sterntränen« nennen [wiewohl dieser Titel *weltlichem* Ruhme eher abträglich ist].

Unsereins ruht; (sei es in sich, sei es im All)

Gebeten worden, anläßlich einer Wohltätigkeitsveranstaltung [zugunsten des Tierschutzvereins] aus den »Sterntränen« zu lesen. Nahm an. – Es waren ausschließlich Bulldoggen anwesend. Danach an die dreißig Einladungen erhalten: alles Metzgerfamilien, ich sterbe.

Eine wundersame Melancholie ist in mir; sie befähigt mich zu Versgebilden von geradezu tragischer Reinheit. – Den Zyklus auf hundertunddreißig erhöht.

Eine Gruppe sogenannten »Nachwuchses« kennengelernt, hauptsächlich Foxterrier und Meerkatzen. Sie geben eine Zeitschrift heraus, in der sie sich loben. Dem

Gedicht sind sie abhold, der Dichtung desgleichen; möchte wissen, warum sie sich Schriftsteller nennen.

Ein neues Stickmuster begonnen. Wenn ich dieses bläßliche Rosa und ein verwaschenes Lila bekomme, versuchen, die Wolke von neulich in den Rahmen zu bannen. Das Ganze an Laura.

Den Morgen, wie stets, am Spinett. Laura ließ mich im Stich. Was diese Pekinesinnen sich einbilden! Habe ihren Namen von der ersten Seite der »Sterntränen« gestrichen. Mag dieses Blatt weiß bleiben.

Der Koch wagte mir Knochen zu bieten. Ließ die Möglichkeit seiner Entlassung durchblicken.

Wurde verstanden: Speiste soeben Perlhuhn auf Reis. Vermißte allerdings die dazugehörige [erhitzte] Ananasscheibe. Werde anzudeuten bemüht sein, daß mich solche Unachtsamkeiten betrüben.

Eine Kristallschale erworben und sie im Garten vergraben. [*Die* Freude, wenn ich sie nächstes Frühjahr beim Umgraben finde!]

Man ist mit dem Ansinnen an mich herangetreten, den Text für eine Hunde-Oper zu schreiben. Werde zusagen, wenn der Held ein Pudel sein darf.

Mein Mäzen brachte mich mit dem Komponisten zusammen: Ein afghanischer Windhund; arrogant, aber von Adel. Er will, der Hauptheld müsse ein Windhund sein.

Arrogant, aber von Adel

Lange mit meinem Briefbeschwerer hantiert; er stellt eine Glaskugel dar; dreht man sie um, schneit es in ihr. – Dabei Geräuschassoziationen, meine Kindheit betreffend: Das Knirschen der Schneedecke, wenn der Briefträger kam. [Geruchsparallele: Verschrumpfte Äpfel, Tabaksaft, Schnapsatem.] Oder: Krähenschrei im Dezember. [Geruchsparallele: Röstkastanien, frischer Kaninchenkot, muffiges Heu.] Oder: Schlag aufs Eis, um den darunter stehenden Fisch zu betäuben. [Geruchsparallele: Entengrütze, Fischgalle, gekochte Lorbeerblätter.] Dieses Spiel öfter.

Beginne die Oper. Wir einigten uns: Der Held wird ein Pudel, die Heldin ein Windspiel; das erfordert einen tragischen Ausgang. Schade, etwas Beschwingteres wäre mir lieber gewesen. Nun wird der Held wohl ins Kloster gehen am Schluß, und die Heldin wird sich ins Meer stürzen müssen.

Dieser Mai ist so pastellfarben mild, wie eine verläßlich gewählte Schlafzimmertapete: alles voll Traumblumen; und im Bett: ein gähnender Frühling, dem das Dienstmädchen Sonne strahlend die Rohkostplatte kredenzt.

Die Oper macht Fortschritte. Pudello Pudelius lernt Flitzita in einer Bar kennen, wo sie als Sängerin auftritt. Sie ist mit einem Polizeihund liiert, der Pudello des Schmuggels mit Haschischwürsten verdächtigt. – Das Libretto in Stanzen.

Die Stickrahmenwolke ist fertig. Zeigte sie Laura. Sie weinte, als sie sie ansah. Sie würde, sagt sie, dabei an ein Tischtuch erinnert, das man ihr in der Wäsche verdorben. – Werde wohl doch brechen müssen mit ihr.

Streit mit dem Komponisten. Er will, der Polizeihund soll Pudello ins Loch werfen, ich: Pudello soll Flitzita entführen. [Man schreibt doch nicht für die Gegenwart!]

Mein Bruder – er ist Parkwächter in Peking – sandte mir Lotosduft. Habe mir eine Bratwurst gedacht und sie ihm in Gedanken geschickt; ich weiß doch, wie sehr er Bratwürste schätzt.

Wieder bis in die Nacht im Adreßbuch gelesen. Was gibt es für merkwürdige Namen!

Einen meiner Sänftenträger entlassen müssen; der Bursche las Böll statt Messing zu putzen. – Er drohte mit der Gewerkschaft.

Mal ein Sonett auf ein rollerndes Kinderknie schreiben. Am Rhythmus erkennen lassen, daß sich am Hinterrad des Rollers der Gummibelag lockert. Das Knie ist schmutzig und trägt eine Kratzwunde. [Fliegenstich.] Es ist Mittag, und das Pflaster riecht nach schalem Bier, [Brauereiwagen vorübergefahren] nach Sonne und verdampfendem Regen. Dieser hat die Klingel am Lenkrad heiser gestimmt.

Das Libretto beendet; es ist alles ganz anders gekommen: Flitzita ist ins Kloster gegangen, Pudello ist Polizeichef, der Polizeihund hat sich erschossen.

Der Verwalter grüßt mich nicht mehr. [Nur weil ich ihm untersagt habe, im Park noch ein weiteres Zwiebelbeet anzulegen.] Was diese Kaninchen sich einbilden!

Eine Kolibri-Abordnung hat mich besucht; ich soll ihr die Einreise in mein Traumland gestatten. Tat sie vier Stunden in Quarantäne, dann ließ ich sie frei. Es träumt sich angenehm von den Kleinen.

Über mein Verhältnis zur Dichtung befragt worden. Ich: »Schopenhauer, Graf Bobby und Proust.«

Verärgert. Wie dieser Friseur auch die Brennschere handhabt; unglaublich! Was heute fehlt: die Berufsehre.

Lange in die Sterne geschaut und geseufzt; ich möchte aufbrechen dürfen.

Eine Dobermännin kennengelernt, die Verbindung zur Hochfinanz hat. Sie will ihren Bekannten, einen Deutschen Schäferhund, bewegen, die Drucklegung der »Sterntränen« zu finanzieren. [Auf Bütten, sagt sie, mit Goldrand.] Ich schwanke.

Eine Annonce aufgegeben, das Söllerzimmer betreffend. Laura will einen adligen Mieter.

Meine Schleifensammlung um ein Prachtstück bereichert. Es muß lange im Regen gelegen haben: es ist blaßlila, mit einem schüchternen Stich ins Ultramarine. Ich fand es auf einem Schulhof.

Oh des stutenmilchfarbenen Monds jetzt! Seine Hände sind wolkig und aus schwellenden Schwanendaunen gemacht; wen sie anrühren, dem wachsen Flügel oder er erstarrt zu einer tränenden Säule.

Die Dobermännin hat mir ein Dutzend Taschentücher, in die sie mein Wappen gestickt hat, geschenkt; sie ist rührend. Mit der Drucklegung ist es nichts: Der Schäferhund wurde verhaftet, er soll mit den Vegetariern kollaboriert haben.

Warum ich keinen Roman schriebe, fragte man mich. Ich: »Meine Phantasie ist zu reich.«

Mein Lieblingswunsch: Eine Soir-de-Paris-Wolke sein und auf das Parthenon regnen; dazu müßte Mozart gespielt werden. [Mal testamentarisch verankern.]

Unglaublich. Laura brachte eine Illustrierte mit an den Kaffeetisch. Schellte und ließ wieder abräumen.

Am liebsten sehe ich auf meine Hände und freue mich, wie zierlich sie sind. Ich bin nicht eitel; doch ich weiß: man muß sich lieben, will man bestehen.

Ein Poesiealbum erworben. Schrieb nur meinen Namen hinein. [Will es aufheben, um gelegentlich nachzuschlagen, wie unschuldig leere Seiten sein können.]

Gewiß, wir Pudel könnten uns auch zusammenschließen; aber das wäre verfrüht: Wir sind Leuchtbojen, unser Eiland wird erst entdeckt.

Nach meiner Existenzberechtigung gefragt worden. Ich: »Nachsichtig sein und Schönes wollen; beides aus dem Impuls.«

Beim Mit-dem-Stäbchen-Speisen den [kleinen] Finger verstaucht; werde wohl einige Tage nicht essen können.

Sie ist sanft und, wie sie sagt, den ganzen Tag außer Haus

Der Komponist hat die Oper vollendet, er schickte soeben die Noten. Laura spielte mir einiges vor. Es geht doch nichts über Mozart [allenfalls noch Paul Lincke].

Besuch einer Taube; sie kam auf Grund der Annonce, das Söllerzimmer betreffend. Sie ist sanft und, wie sie sagt, den ganzen Tag außer Haus. Schade; hätte gern hin und wieder den Kaffee mit ihr genommen.

Streit mit Laura; ich hätte mit der Taube geflirtet. Lächerlich. Ließ sie stehen und ging in den Park. – Röchen doch nur die Zwiebeln nicht so!

Meine Großmutter erschien mir im Traum; ich möge ihr doch etwas Briefpapier schicken. Als ich fragen wollte, wohin, wachte ich auf. Nun werde ich es ihr wohl aufs Grab legen müssen.

Was wollen wir Pudel denn schon? Doch nichts, als in Sanftmut dahingehen. Wir sind Versuchsballone, gefüllt mit dem Odem der kommenden Welt. Einer Welt der Höflichkeit und der Milde; einer Welt, in der sich die Vögel entschuldigen, wenn ihre Silhouetten einem über den Fuß gleiten; einer Welt, in der die Pferde Pantoffel anhaben und nur noch Pudel die öffentlichen Ämter bekleiden.

Empörend. Auch in Lauras Boudoir eine Illustrierte gefunden. Ließ sie verbrennen und dem Kammerjäger Bescheid geben.

Ein Billett der Dobermännin erhalten. Ob ich Lust [!] hätte, einige Tage auf ihrem in der Nähe gelegenen Landgut zu weilen. Befremdet. [Meine Sehnsucht soll fliegen; ein Pfeil, der steckengeblieben, verrottet.] Werde wohl Heuschnupfen vorschützen. – Oder wählt man in diesem Falle besser ein psychisches Leiden?

Im Park; hoffte auf ein Sonett. Vergeblich; die Zwiebeln rochen zu stark.

Laura fordert neue Gardinen; bei der Ausräucherung neulich hätten sich die geblümten verfärbt. Ignorieren.

Die Taube zog ein. Adrette Person; weiß sich zu kleiden. Sie ist bei der Post.

Beim Verwalter und ihn um die Einebnung der Zwiebelbeete ersucht. Er sah mich an, als wollte ich ihm sein Todesdatum erpressen. Diesen Kaninchen geht doch jeder Sinn für das Höhere ab. [Aber: den »Sportkurier« lesen – das paßt.]

Opernprobe; anschließend mit den Sängern diniert. Erschüttert. Dem ersten [und hoffentlich letzten] dummen Pudel begegnet; er singt den Pudello. Die Sängerin der Flitzita soll vor neunzehn Jahren die Isolde kreiert haben; davon zehrt sie. Auch der Darsteller des Polizeihunds ist für diese Rolle gut zwanzig Jahre zu alt; doch er hat Beziehungen zur Intendanz; da mußte man sie ihm geben.

Kaffee mit der Taube zusammen; [hatte dienstfrei, die Kleine]. Anschließend las ich ihr aus den »Sterntränen« vor. Sie weinte; ich auch. – Entschlossen, Laura doch die Gardinen zu kaufen.

Es regnet. Pfirsichblüten sortiert. Am Nachmittag mit Laura das Blühsegelspiel: Eine halbvolle Waschschüssel; jeder setzt behutsam etwa ein Dutzend Pfirsichblütenblätter hinein. Nun erzeugen beide Partner vermittels eines schwach parfümierten Seidentuchs Wind und schicken so die eigene Blütenfregatte gegen die feindliche vor, die es sanft [doch mit Nachdruck] zu rammen gilt. – Laura gewann. Wie ich anschließend feststellen mußte, hatte sie die Unterseite ihrer Blätter mit Nußöl getränkt; so konnten sie weder kentern noch sinken. Trage mich mit dem Gedanken, ihr das Haus zu verbieten.

Die Taube ließ mir eine Brustfeder von sich herab; sie schwebte der Nietzschebüste aufs Haupt. Löste sie und habe sie mit einem Seidenfaden an der Decke befestigt. Oh der Sensibilität, mit der sie nun jeden Lufthauch vermeldet! – Laura das Haus verboten. [Grund: der Blühsegelbetrug.]

Der Verwalter weigert sich, das Zwiebelbeet zu planieren; einem meiner Sänftenträger ließ er erklären, das verstoße gegen den gesunden Kaninchenverstand. Ich: Er solle froh sein, daß es neben diesem noch einige andere Verstandesarten gäbe, den Pudelverstand par exemple; nicht auszudenken, wie die Welt sonst nach Zwiebeln röche. – Der Regen hält an.

Eben in einer Verfügung statt »merkbar« »makaber« gelesen; recht seltsam.

Der Regen schwoll zum Wolkenbruch an; er hat das ganze Zwiebelbeet weggespült. [Wußte doch, daß ich erhört würde.] – Zum Verwalter und mich für meine gestrige Äußerung entschuldigt.

Meine Großmutter schrieb; [das Briefpapier hat sie also erhalten]. Sie bittet mich, heute nacht, null Uhr dreißig, fest zu schlafen, da sie vorhabe, mir im Traum zu erscheinen. Sie könne sich jedoch nicht lange aufhalten, da sie anschließend auch meinem Bruder zu erscheinen gedenke; und der Weg nach Peking falle ihr, sonderlich nachts, doch schon recht schwer.

Die Taube schenkte mir ein Foto von sich; sie sieht bezaubernd drauf aus. Mal ein Sonett an die Gute. [Vielleicht gar ein Zyklus?]

Pünktlich, null Uhr dreißig, von meiner Großmutter geträumt. Man sähe, berichtete sie, mit relativem Wohlwollen auf mich herab; nur hielte man es für angebracht, ich meditierte des öfteren und dichtete wieder. – Es ist wahr: Man muß Zeugnis ablegen von seiner Reife. – Gewartet, bis ich erwachte; dann geläutert erhoben und in einem Zug siebzehn Sonette.

Über den Begriff »aktuell« meditiert: Man hat ihn entwürdigt; anfangs war er göttlichen Ursprungs.

Die Sonette auf neununddreißig erhöht; es brodelt nur so von hehrsten Versgebilden in mir; das zyklische Grundmotiv kristallisiert sich dabei gleichsam von selber heraus. Versuchen, heute auf hundert zu kommen. Titel: »Weltentau« oder so ähnlich. Gewidmet: der Dobermännin oder der Taube.

Ein wundervoller, schwachvioletter Luftballon hatte sich in einem der Parkbäume verfangen. Schickte einen der Sänftenträger hinauf; nun schwebt der Ballon überm Spinett am Plafond. Entzückt über den Charme seiner Wendung, wenn ein Luftzug ihn streift. Und diese makellose Eleganz seiner Form! Dieser Drang, selbst der festgefügtesten Zimmerdecke noch den Auftrieb seines Willens entgegenzusetzen! Ein Aristokrat durch und durch.

Untröstlich. Der Ballon ist geplatzt. Der Kammerdiener wechselte die Gardinen, dabei kam er ihm mit der brennenden Zigarre zu nah. – Begrub die sterbliche Hülle im Park. Auf das Kreuz diesen Zweizeiler einbrennen lassen:
»Ich liebte dich; doch ach, zu spät:
Der Hauch ging heim, der dich gebläht.«

Der Schmerz um den Ballon verleiht meinen Versen einen geradezu marmornen Schmelz. Streckenweise derart erschüttert, daß vor Schluchzen Weiterschreiben unmöglich. Danach dann oft den ganzen Vers wieder vergessen.

Der Reklamefachmann einer Zahnpasta-Fabrik erdreistete sich anzufragen, ob ich ihm eins meiner Sonette zu Werbezwecken zu überlassen gedächte. [Natürlich ein Terrier.] Ließ ihn hinausexpedieren und den Fleck, auf dem er gestanden, mit Juchten besprengen. Was diese Firmen sich einbilden! Animiere ich mich vielleicht mit Zahnpasta, bevor ich zu dichten beginne? – Die Sonette auf siebenundfünfzig erhöht.

Ganz krank; es sind nirgendwo Räucherstäbchen zu kriegen. Wie nun den Zyklus vollenden?

Laura schickte eine Salami; hervorragende Qualität; sah die zarten Scheiben im Geist schon ein Brötchen beleben. Dennoch: Ließ sie zurückgehen.

Rührend. Die Taube hat mir ein Halstuch gehäkelt. Trage es früh am Spinett. Schwanke, ob ich den Zyklus ihr oder dem Ballon widmen soll. [Die Dobermännin entfällt.]

Auf der Probe. – Der Komponist erlitt einen Nervenschock. Die Windhündin hatte schuld; sie singt vier Takte zu schnell. Als er es ihr sagte, schrie sie, er solle sich doch einen Mops für die Hauptrolle holen; darauf warf sie die Tür. – Der Polizeihunddarsteller will, ich soll einer Elevin eine Zofenrolle dazuschreiben. Ließ ihm ausrichten, daß ein Kunstwerk kein Schlafzimmer sei, in das man nach Belieben noch ein Bett stellen könne. [Jetzt, wo ich es aufschreibe, Bedenken; werde mich wohl entschuldigen müssen. Das heißt, vielleicht genügt auch, statt »Bett« sich mit »Stuhl« zu bescheiden; nur: wie dann das »Schlafzimmer« eliminieren?]

Heiterkeit aber hat mit Humor nichts zu tun

Über den Humor meditiert. a] Wir Pudel haben keinen; folglich ist er ein Zeichen von Unvollkommenheit und Unreife; nur Oberflächliche, Verbitterte und Enttäuschte gefallen sich in ihm, ausgeglichene Naturen verzichten auf ihn. [Der Weltgeist hat auch keinen.] b] Da das Böse Humor hat, liegt die Vermutung nahe, daß der Humor das Böse an sich ist. [Beweis: er ist unernst, lenkt ab, lügt, verzerrt. Außerdem: Schadenfreude, Spott, Ironie, Hohn, Sarkasmus – alles teuflisch.] Damit ist jedoch nicht gesagt, alles Ernste sei gut. Im Gegenteil: Ernst ist nur heiter erträglich; Heiterkeit aber hat mit Humor nichts zu tun. [Siehe Buddha.]

Laura schickte ein Paar perlenbesetzte Pantoffel. Irgendwie rührt einen diese Anhänglichkeit ja. Doch ich kann ihr nicht alles verzeihen. Schickte einen der Pantoffel zurück.

Den Zyklus, dank meines ständig erneut aufbrechenden Schmerzes, auf einundneunzig erhöht. Mich zu der Widmung: »Meinem Ballon zum Gedächtnis« entschlossen. – Trage mich mit den Gedanken, der Taube [sie ist wirklich rührend zu mir] mein Wursthäutealbum zu schenken. Ob sie es annimmt?

Totunglücklich. Schon seit Tagen keinen Spargelkopf mehr gegessen.

Empörend. Soeben davon Kenntnis genommen, wie dieser Goethe im »Faust« [einem Drama] über uns Pudel zu urteilen beliebt. Diese kaustisch urgroßväterliche Art, uns zu dressierten Befehlsempfängern zu degradieren! Und obendrein noch den Teufel in uns hineinzugeheimnissen! Das sieht diesen beamteten Niflheimhalbgöttern ähnlich: Nur nicht mal von ihrem Samtkissen-Olymp herabsteigen und sich die Mühe machen, einem Pudel ins Auge zu blicken. Der Teufel! In uns!! Lächerlich.

Besänftigt. Er hat ja auch den »Werther« geschrieben. – Wahrhaftig: vollendeter wurde noch nirgends gestorben. Und wie erhaben viel Zeit läßt sich dieser Jüngling dabei; beispielhaft.

Wieder mit Laura vertragen. Wir sangen und spielten: »Du bist die Ruh«. – Das Spinett muß gestimmt werden.

Beunruhigt. Reichlich drei Tage nichts mehr von der Taube gehört. [Sehe sie sonst immer; sie benutzt nicht die Treppe, sondern fliegt an meinem Fenster vorbei.]

Den Zyklus vollendet. [Nicht zuletzt auch dank der Angst um die Taube.] Gab meinem Mäzen davon Kunde. Er riet mir, das Ganze zu dramatisieren. – Man müßte es sich überlegen. Nur: wie einen Ballon auf die Bühne bringen? Und vor allem: wie den Tod des Ballons?

Die Taube ist noch immer nicht da; ihr Zimmer ist abgeschlossen. Beim Verwalter erkundigt, ob sie vielleicht zu Fuß nach Hause gekommen. Natürlich: der weiß wieder mal von nichts. – Morgen noch; kommt sie auch dann nicht, zur Polizei.

Etwas Entsetzliches ist geschehen. War im Park, meditieren. Als ich zurückkam, erzählte Laura, ein Habicht sei dagewesen; er hat ihr eine Vollmacht gezeigt, aus der sich ergab, die Taube hat ihn beauftragt, ihr Gepäck abzuholen. Obwohl er Zivil trug, ließ ihn Laura gewähren. – Habe mich inzwischen erkundigt: Die Taube war im östlichen Teile der City beschäftigt; dort hat man sie vor einigen Tagen beim Briefesortieren verhaftet. Verstehe das nicht. Dieses milde, süße Geschöpf! Und vor allem: wie nun, mitten im Monat, das Söllerzimmer vermieten?

Im Traum erschien mir die Taube. Sie war ausgestopft und saß starr hinterm Glas eines Leichenwagens, den ein ältlicher, in farbbeklecksten Sandalen einherschreitender

Kunstmaler zog. Es war Herbst, und es regnete; in den Ulmen am Straßenrand spiegelten sich trüb die Laternen. – Beeilte mich aufzuwachen und erkundigte mich. Tatsächlich, die Taube ist bei ihrer Verhaftung einem Herzschlag erlegen. – Recht froh, daß ihr diese Flucht noch geglückt ist.

Meditiert und mit dem Taubengeist in Verbindung zu kommen versucht. Es stellte sich jedoch nur ein Ersatzgeist; er teilte mir mit, es sei noch zu früh, im Augenblick habe die Taube noch in den Außenbezirken zu tun, im Nirwana werde sie erst in etwa vierzehn Tagen erwartet. [Hauptsache, sie ist nicht zum puren Symbol verblaßt bis dahin, und es läßt sich dann mit der Kleinen noch reden.]

Alle Steckdosen in den Zimmern reihum haben auf einmal Raubvogelphysiognomien. Woran mag denn nun *das* wieder liegen! Obendrein hat Laura – »aus Versehen«, wie sie behauptet – die Brustfeder der Taube [ich pflegte sie mir vor dem Einschlafen unter die Wange zu legen] beim Bettenmachen aus dem Fenster geschüttelt. Kommentarlos.

Seit Tagen nur noch Körner [Mais und grob geschroteten Weizen] zum Frühstück. Hoffe, den Taubengeist damit zu locken; zu meinem Leidwesen bisher vergeblich jedoch.

ES REGNET. ICH SITZE AM FENSTER UND VERVOLLKOMMNE mein Wursthäutealbum. – Es hat keinen Sinn, um Hingegangenes zu trauern. Der Ballon starb, die Taube starb: einst werde auch ich sterben. Wir wollen froh sein, daß man unseren Heimgang für so wichtig erachtet; nichts schlimmer, als ein achtloser Regisseur, der vergessen hat, wem er seinen Atem geliehen. Ein Schöpfer, der sterben läßt, will verändern. Schmerz ist unschöpferisch; litte der Weltgeist: die Welt würde stagnieren.

Wieder am Stickrahmen. Mir schwebt eine Decke fürs Vertiko vor. [Fünfzig mal vierzig.] Darauf zu sehen: Unten links eine Hand. Mitte, groß: Die Sonne, etwa zu einem Drittel verdeckt vom Ballon, dessen Schnur [Seele] eine Taube im Schnabel hält. Drunter, in Blau [oder Rosa] ein Vers; etwa diesen:

»Hand, die seine Hülle knüllte,
wisse: Weg von dieser Welt,
aufwärts steigt der Lichtgefüllte,
den die Taube selig hält.«

Am Weiher. Abend, der Schrottdieb, streicht lauernd an den Hecken entlang und stiehlt die Kupferblöcke der Sonne. Die Goldfische gähnen. Jetzt eine Fledermaus sein; ich äße mich am Dämmerzimt satt und koste mit trunkenen Mücken.

Besuch einer Schwalbe; sie überbrachte mir Grüße meiner Schwester Alwine. Alwine hat ihre Stellung als Fotomodell gekündigt und versieht nun auf Bali das Amt einer Tempeljungfrau. Bat die Schwalbe, Alwine vielmals zu grüßen; im Frühherbst, wenn sie fortzieht, will sie der Adressatin die Grüße bestellen.

Laura die gewünschten Gardinen zu kaufen erlaubt; man muß auch vergessen können.

Ein Drama begonnen: »Der Ballon und die Taube«. Hauptrolle: der Weltgeist; er ist unsichtbar und sitzt im Souffleurkasten. Er liest die Handlung laut vor. Die übrigen Akteure reden kaum, sie führen lediglich das Gesprochene aus. – Mein Mäzen, dem ich das Exposé unterbreitet, ist begeistert. Das sei – allein schon von der Gestaltung her – das Modernste, was sich nur denken lasse. – Enttäuscht: »Modern«, das hat mich verstimmt.

Indigniert. Besuch eines Pudels, der Herausgeber eines – Herrenjournals [!] ist. Und erst die Schur dieses Laffen! Nichts da vom klassisch französischen Schnitt; nein: das Hinterteil wollig und überbetont, als gelte es, dem Kopf die Herrschaft streitig zu machen; die Ohren wie Tintenwischer so winzig; und dazu: das Parfüm eines Vorstadt-Dandys und das Auftreten eines Damenfriseurs; gräßlich. – Er hat mir die Redaktion der Wochenbeilage »Hund und Mensch« angetragen. Dankte befremdet. [Nur Edles zu publizieren verlohnt sich; das bloß zu Registrierende soll die Statistik erfassen.]

Eben von der Generalprobe zurück. Ein Regierungsvertreter war anwesend und verließ, als Pudello – er verhütet damit den Aufstand – den vakanten Posten des Polizeichefs mit sich selber besetzt, protestierend die Loge. Die Intendanz zittert. Warum ich, wollte man wissen, auch ausgerechnet einen Pudel zum Polizeichef erhöbe. – Was die wollen! Man stattet einen Polizeichef mit den Attributen der Milde aus und –: beleidigt den Staat. Grotesk.

Die Oper ist abgesetzt, die Regierung hat sie verboten. Wegen »Verächtlichmachung der Staatsgewalt«. [Als ob Gewalt nicht an sich schon etwas Verächtliches wäre.]

Mit Laura früh am Spinett; wir sangen ein Eichendorfflied. Anschließend Rotwein mit Ei. – Mal wieder einen Sonnenaufgang betrachten.

Das Buch eines Autors gelesen, den die Salons mit »zeitnah« etikettieren. Der Arme. Wie wenig Spaß hat er doch beim Schreiben gehabt; und wie sauer schmeckt das nun alles. Sie marschieren heute beim Schreiben, sie gehen nicht mehr spazieren. Staubwolken, Schweiß und das Schlafzimmer. Was kommt dabei schon heraus? Sie sehen, was alle sehen: Aborte, Verbrechen, Bars und die Müllplätze, Krieg und das Elend im Scheinwerferlicht und, wenn es hochkommt, auch die ungütigen Auswirkungen der Politik hin und wieder. Aber daß der Rost am Tulpenkelchgrund derselbe ist, der im Spätsommer die Kehlen der Mauersegler so rauh macht, daß ihr Schreien heiser wie das Klirren lang nicht geölter Rollschuhe klingt – das wissen sie nicht. [Und dabei fängt hier doch das Dichten erst an.]

Ein Bullterrier war hier; er steht im Staatssicherheitsdienst. Ob ich etwa noch eine weitere Oper zu schreiben gedächte. Ich: Das komme drauf an. Worauf? fragte er scharf. Ich: Ob mir danach zu Mut sei. Wovon das abhänge, wollte er wissen. Ich: Das sei verschieden; vom Ton, den ein Schilfhalm erzeuge, wenn er am Kahnrand entlangschabe; vom Kreischen der Kinder, wenn es geregnet; vom Klappern der Brennschere, wenn sich Laura

Er steht im Staatssicherheitsdienst

ihre Schwanzwelle neu lege. Ich trat ans Fenster und kam ins Plaudern. Als ich mich umsah, war der Bullterrier verschwunden. [Laura berichtete später, er habe verstört ausgesehen und statt seines Stocks ihren Schirm mitgenommen.]

Träumte von meinem Ballon. Er war an der Mondsichel festgebunden und wurde umschwebt von samtenen Faltern. Er weinte. Die Tränen liefen an der Schnur und ein Stück die Sichelspitze entlang; dann versprühten sie sphärisch klingend im All.

Das Theaterstück schreitet fort. Schon melden sich Laienspielgruppen, die es aufführen möchten. Gebe jedoch nur dann meine Erlaubnis, wenn die Beteiligten den Weltgeist ein Pferd sprechen lassen.

Laura hat sich einen Staubsauger aufschwatzen lassen. Der Vertreter [natürlich ein Seehund] habe »so traurige Augen« gehabt. Typisch.

Besuch eines Glockengeists; ich soll ihn als Pausenzeichengestalter beim Funk unterbringen. Riet ihm, lieber auf den Höfen zu singen.

Laura macht mich ganz krank; überall findet sie plötzlich Schmutz. Und der Lärm erst, den dieser Staubsauger macht! [Rasenmäher, der die Teppiche stutzt.]

Den Sonnenaufgang erlebt. Ganz passabel.

Im Theaterstück jetzt beim Schlußmonolog des Ballons. Folgende Splitter mit einbauen: »Astralleibwehgeplagte Anverwandlung ans Licht«, »Irdischem Schutt Geschonteres beuen« und »Zerrend am Zahne der Zeit, zog ich ihn aus und entfloh.« [Ferner das epitheton ornans »glühnebelgefüllt« drei- bis viermal verwenden.]

Versöhnt. Wir lassen den Staubsauger neuerdings auch dann laufen, wenn Laura ihn *nicht* in Betrieb hat. Sein Geräusch erinnert an Brummkreiselsurren gekoppelt mit Weltachsenknarren; es inspiriert ungemein.

Immer wieder bei hiesigen Schriftstellern das Wörtlein »zutiefst«. Beweis für die abgründige Gründlichkeit dieser Leute. »Tief« ist ihnen zu flach, auch »tiefst« genügt ihnen nicht; es muß das »zu« noch dazu. Und übersehen ganz, diese Tiefenanbeter, daß die Sprache sich ja schon selber gegen solch ein Furunkel zur Wehr setzt. Denn »zu« hat Warntafelwert; »zu tief« bedeutet, milde gesprochen: weniger tief täte es auch; »zutiefst« aber ist schon ein Röcheln: hier sackt etwas ab zu den Müttern, was gar keine Lust dazu hatte. [Und Oberlehrer Faust lehnt unbewegt am Katheder.]

Im Park ein Stück Borke, das um eine Vogelkralle gewachsen. Wie lange muß dieser Vogel auf dem Baum gesessen haben! Und [was ich vor allem gern wüßte]: Woran mag er die ganze Zeit nur gedacht haben?

Verstimmt. Eine Erbschaft gemacht; mehrere Paläste in Peking. Sie sollen meinem Bruder gehört haben, der sehr plötzlich starb. [Deshalb also wollte ihn Großmutter sprechen!]

Meditiert und meinen Bruder zu beschwören versucht. Es heißt jedoch, er sei ans Herz Vairochanas zitiert. Da hat man die Bescherung; jetzt habe ich doch tatsächlich dieses Gemäuer am Bein.

Laura ist ganz aus dem Häuschen. Kaum hat sie das mit der Erbschaft vernommen, hat sie sich für ihre Sänfte einen glöckchenbehangenen Pagodenaufsatz anfertigen lassen, und wenn sie sich austragen läßt, eilt ihr ein Gongschläger voran. Werde wohl einschreiten müssen.

Ein Staubsauger-Menuett komponiert. Es ist allerdings nicht ganz einfach zu spielen, da der Staubsauger dazu summen und das rhythmische Klirren etwa eines bis anderthalb Dutzend Gardinenringe es akkompagnieren muß. [Mal mit den Sänftenträgern probieren.]

Die Post: ein einziger Bittschriftenberg. Wenn Laura bloß zu schweigen verstünde! Aber eher verbrennt sie ihre Tornüren. Erwäge, vorübergehend in einem Kloster unterzutauchen; als Nonne vielleicht? [Wenn doch nur das Finanzamt nicht wäre!]

Erstaunlich: Ich soll Waisenhäuser finanzieren, eine Aktion zugunsten der Nachkommenschaft von mit Süßigkeiten zu Tode gefütterter Schoßhunde starten, einer Bulldogge das Volkswirtschaftsstudium bezahlen, einer Ratte die Auswanderung nach Argentinien ermöglichen, dem Befreiungskomitee ehemaliger Hofhunde beitreten, ich soll ein Haarwuchspatent kaufen, Literaturpreise stiften: – Man könnte meinen, diese Bittsteller halten mich für eine Wohlfahrtsinstitution.

Abends im Park. Oh dieser lila umflorten Lämmerwölkchen jetzt immer! Ein silbernes Flugzeug hütete sie, es fuhr ständig um die weidende Herde herum. Ich denke mir einen uralten, braungebrannten Schäfer am Steuer. Sein Oberkörper ist nackt und über und über mit einem Stiefmütterchenmuster tätowiert. Den Steuerknüppel hält er zwischen den Knien, die Hände braucht er zum Häkeln: Jedes der Wolkentiere ist seinem klirrenden Nadelpaare entsprungen. Hat er zwölf Dutzend voll, treibt er das wollige Feld zur Himmelsweide über den Sundainseln. Hier äsen die Häkellämmer, bis ihr Lila in Grün übergeht; dann steigt die Herde hinab und senkt sich aufs Meer. Die Wolken verwandeln sich in Wälder aus Tang, das Flugzeug wird ein Delphin, der Schäfer ein Tintenfisch; und so ziehen sie hin, bis sie eines Tages wieder Lust auf den Himmel bekommen.

Unglaublich, wen es plötzlich alles ins Söllerzimmer zu ziehen gelüstet. Ich denke jedoch gar nicht daran, den Raum einem dieser erbschleichenden Desperados zu überlassen. [Nicht mal den Fledermäusen ist mehr zu trauen!]

Meine Freundin, die Taube, erschien mir im Traum. Sie trug ein Thermometer im Schnabel, ihr Zickzackflug zeichnete eine brennende Fieberkurve an die Schiefertafel der Nacht. Mir ahnte nichts Gutes; ich beeilte mich zu erwachen; und richtig, ich hatte vergessen, die Kakteen zu gießen.

Dieser Glockengeist besuchte mich wieder. Er ist beim Nirwana um Substanz eingekommen: er hat die Möglichkeit, sich eine Jahrmarktbude zu mieten. Doch die Leute erschrecken vor ihm; er sagt, er kann nur auftreten, wenn er spätestens am Schluß jeder Vorstellung körperhaft wird. – Ihm geraten, sich zu verlieben.

Das Theaterstück fertiggestellt. Es heißt jetzt: »Der Tod des Ballons oder Die Seele wohnt oben.« Vier Laienspielgruppen, die schwören mußten, den Weltgeist ein Pferd sprechen zu lassen, das Aufführungsrecht erteilt. Außerdem hat mein Mäzen das Werk dem Volksbühnenlektorat eingereicht.

Den Vorsatz, das Söllerzimmer nicht zu vermieten, fallengelassen. Eine Katze mit ihrem Verehrer – einem Kanarienvogel – zog ein. Vertrauenerweckende Leute; außerdem adlig; das schließt allein schon jede Verdächtigung aus.

Kaffee mit den neuen Mietern zusammen; beides ungewöhnlich sensitive Naturen. Las mein Drama vor; sie waren recht angetan. Manchmal stört nur etwas, daß die Katze den Kanari nie aus dem Käfig läßt; überall trägt sie ihn mit sich herum. Anna von Samtenau und Felix von Fittig heißen sie übrigens; Namen, die nicht nur klingen, sondern auch Verläßlichkeit atmen; – das hat man selten zusammen.

Streit mit Laura. Sie will ein Gespräch Frau von Samtenaus mit von Fittig belauscht haben, in welchem dieser aufs ordinärste über mein Stück hergezogen. Außerdem soll Frau von S. geäußert haben, sie sei ärgerlich, daß ich bisher nichts über meine Erbschaft habe verlauten lassen. – Verleumdungen einer Helotin.

Befremdliche Entdeckung. Von Fittig trägt eine Perücke; auch scheint er sich des öfteren mit Wasserstoff das Gefieder zu färben.

Nehme alles zurück. Soeben mit ihm und Frau von Samtenau am Spinett. Wir spielten [und sangen] den »Erlkönig«. Von Fittig versteht täuschend das Hufgetrappel nachzuahmen; sein Tenor allerdings klingt etwas blechern. Dafür hat Frau von Samtenaus Alt einen geradezu bronzenen Schmelz. – Ihr das mal in einem Sonett zu verstehen geben.

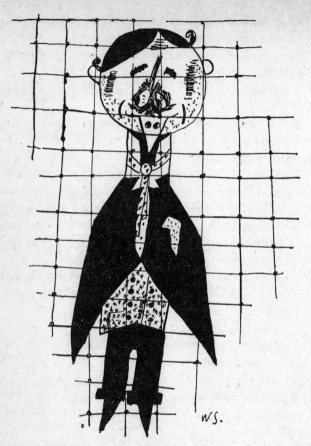

Auch scheint er sich des öfteren das Gefieder zu färben

Bewegt. Walt Disneys »Dumbo« gesehen. So ist es: nur
fliegend vermag man dem Sumpf zu entkommen. [Was
Dumbo, dem Elefantenjungen, die Ohren, sind mir die
Taubenschwingen meiner Sonette.] Nur: Disney haßt
mir die Menschen zu sehr. Vielleicht liegt das daran, daß
er selbst einer ist. Was mich angeht, ich hasse sie nicht;

ich nehme Kenntnis von ihnen und trainiere darauf, sie nicht zu bedauern.

»Panisches Flimmern
[Gedichtentwurf für Frau von S.]
Faungestalter Buchsbaum glüht
gnomig auf dem Karste,
schweflig schwelt die Drachensaat,
ach, und noch das unscheinbarste
Kraut am Hange zittert bange
in dem Schwefelscheine Pans.«
2. Vers: Unauffällig überleiten auf mich. [Identität mit dem Kraut.] 3. Vers: Feststellung, selbe Licht wie 1,6 auch in Frau v. S.' Augen. 4. Vers: Zusammenfassung und Folgerung. [Allegorisch!]

Das Volksbühnenlektorat hat mein Stück akzeptiert. Es erbat die Erlaubnis, den klärenden Untertitel »Ballung surrealer Manifestationen« dazusetzen zu dürfen. Ich: Sei einverstanden mit allem; Hauptsache, den Weltgeist spreche ein Pferd.

Frau von S. das Gedicht dediziert. Sie zeigte sich überrascht und schlug einen gelegentlichen Abendgang durch den Park vor. [Ja!!]

Frau von S. bedankte sich für das Gedicht. [Sie hatte gebeten, es nachts lesen zu dürfen, da sie, der Stimmung halber, eine Kerze dazu anzuzünden gedächte.] – Laura hat den Porzellanbuddha zertrümmert. [Angeblich beim Abstauben.]

Eine Abordnung von Sternküken empfangen. [Meine Großmutter schickte sie her.] Sie sind die einzigen Überlebenden einer Sternhaufenexplosion am südlichen Ausläufer der Milchstraße. Allerliebste Geschöpfe. Wies ihnen den Park an; und: Meine Träume.

Den Morgen mit von Fittig am Spinett. Er ist mir plötzlich wieder weniger sympathisch. Überlege, warum. Vielleicht weil er im Gespräch oft unversehens in einen ganz ordinären Gassenjargon fällt. Er tut dann zwar schnell so, als sei es witzig gemeint, doch ich traue dem nicht. – Laura scheint übrigens neuerdings einen Narren an ihm gefressen zu haben; das färbt zeitweise sogar auf ihr Verhalten gegenüber Frau von Samtenau ab. – Wankelmut einer Haltlosen.

Der Bittschriftenmalstrom ebbt ab, doch die Scherereien gehen weiter. Mit der Post heute: Anfrage aus Peking, wann ich mich endlich den blauen Buddha im Eingang von Tempel Fünf zu reparieren entschlösse. [Mal von ihm träumen und informieren, was los ist.]

Ein Verleger umwirbt mich; er will die »Sterntränen« haben. Zeigte mich verhandlungsbereit, fügte jedoch hinzu, für den Einband käme lediglich grünes Juchtenleder in Frage. [Der Titel in Gold aufgepreßt.]

Ein Herr hat sich angemeldet. Er sei, schreibt er, Lektor und Hauptautor jenes Verlages, welcher die »Sterntränen« will. Fließend joviale Schrift; den Namen kann man nicht lesen. Tippe auf ältere Bulldogge oder verbitterten Pavian. Er sandte ein Buch von sich mit, Gedichte. Sah hinein: hauptsächlich Fremdworte. Da keine Erklärungen beigefügt, mußte ich's forttun.

Abendspaziergang mit Frau von S. Hielt ihre Hand. –
[Ich bebe noch immer.]

Dieser Verleger sandte mir sein Programm. Recht interessant: meistenteils Generalsmemoiren. Werde wohl
meine Einwilligung zum Druck der »Sterntränen« geben,
sie wurden ja auch um der Generäle willen vergossen.

Im Park eben: Laura; sie spaziert mit dem Käfig dieses
von Fittig einher und goutiert sich an dessen Gewitzel.
Ohne Kommentar. Obwohl man da einschreiten sollte.

Der angekündigte Herr kam. Kein Pavian: ein Truthahn.
Natürlich; damit ist auch der gekränkte Ton seiner Gedichte erklärt, sie wirken alle ein wenig cholerisch; man
hat das Gefühl, er warf sie mehr um sich als aufs Papier.
Er selbst ist ganz beobachtende Würde. Mein Manuskript,
sagt er, beunruhige ihn. [Nehme an, ich bin ihm als
Autor zu milde.] – Er schläft hier; er möchte, sagt er,
morgen früh noch ein »Werkstattgespräch« mit mir führen. – Laura beauftragt, im Zimmer und auf dem Schreibtisch, um die Arbeitsatmosphäre zu heben, tintenbespritz-
tes Papier zu verstreuen.

Die Nacht von jenem dichtenden Truthahn geträumt.
Eine rostige Rüstung umschloß ihn, und er ging mit ge-
fälltem Füllfederhalter gegen sein Spiegelbild an. Es war
hinter einem rosa Vorhang verborgen, jedesmal, wenn er
zustieß, klingelte es; er traf jedoch meistens daneben.

Der Herr ist abgereist; Laura meint, ich hätte ihm meinen
Traum nicht erzählen dürfen.

Damit ist auch der gekränkte Ton seiner Gedichte erklärt

Frau von Samtenau berichtete von einem Kater, den ein Schlag auf die Nase des Geruchssinns beraubt hätte; fortan habe er sich alle Gerüche gedacht. Er brauchte, hinterm geschlossenen Fenster sitzend, auf dem Fluß unten nur einen Schlepper vorbeiziehen zu sehen, schon zerging ihm das Duftgemisch aus fettigem Ruß, rostigem Eisen und öligem Werg wie die Ingredienzen einer verläßlich gemixten Prise im Hirn; ja, allmählich habe er der optischen Vorlage schon gar nicht mehr bedurft. Durch äußerste Konzentration soll er es schließlich zu den märchenhaftesten Geruchsassoziationen gebracht haben. – *Das* wäre eine Romanfigur nach meinem Geschmack! Auch den Titel des Buchs hätte ich bereits: »Der Geruch von innen« würde ich's nennen.

Sehnsucht, einen Schneemann zu bauen. Ach, und die Welt schreibt erst Juli!

Man hatte mich zum Kulturreferenten befohlen. [!] Er hat Bedenken wegen des Stücks, es ist ihm zu lyrisch. Ob ich nicht noch einige [er nannte es:] »handgreiflichere Passagen« mit einbauen könne, letztendlich habe man doch auch dem Bedürfnis der Volksbühnenmitglieder nach Unterhaltung Rechnung zu tragen. Ich: Da müsse ich leider bedauern, unterhalten würde man sich in meinem Stück lediglich auf der Bühne.

Im Park heute ein Blatt mit orange-gelbem Rand und einem bräunlich gesprenkelten Punkt in der Mitte. [Hatte es erst für ein Eulenglasauge gehalten.]

Frau von S. hatte mich zum Frühstück gebeten; im Negligé sieht sie womöglich noch bezaubernder aus. Erwäge ernsthaft, ihr einen Zyklus zu widmen. Nur: wie so schnell einen hinkriegen? Mal wieder Räucherstäbchen anzünden und in die Tunika schlüpfen: das hat doch immer geholfen.

Laura ertappt, wie sie diesem von Fittig eine Locke durchs Gitter schob. Zur Rede gestellt, gab sie vor, er habe über kalte Füße geklagt. Kein Kommentar.

Eins der Sternküken ist im Weiher ertrunken. Nachmittags am Spinett und einen Trauermarsch komponiert. – Die Einäscherung findet übermorgen im Ulmenhain statt. [Hoffentlich kommt mein Rüschenjabot bis dahin aus der Wäsche zurück.]

Von Fittig trägt Lauras Locke in einem Medaillon um den Hals. Kommentarlos.

Mit der Post: der Brief eines Goldhähnchens. Ob es in meinem Stück mitspielen könne, es habe die Schauspielschule mit »gut« absolviert. Schrieb dem Kleinen die Rolle eines Sonnenstäubchens dazu. [Es hat während des dritten Aktes zweimal vom Schnürboden herabzuschweben und im Prolog den Weltgeist zum Niesen zu reizen. – Damit bin ich zugleich auch dem Kulturreferenten betreffs seiner Forderung nach etwas Handfesterem entgegengekommen.]

Empörend. Laura trägt schon wieder eine neue Frisur. Und alles wegen diesem von Fittig.

Heute nachmittag wurde das Sternküken beigesetzt. Ausgezeichnetes Begräbniswetter; starke Beteiligung. [Auch

Laura trägt schon wieder eine neue Frisur

Frau von S. war erschienen; Schwarz steht ihr hervorragend.] Mein Trauermarsch litt an zu spärlicher Instrumentierung, ich hatte die Pauke vergessen.

Unglaublich. Laura hat ihre Sänftenträger neu einkleiden lassen. Sieht etwa dieser Fittig so aus, als ob er es zu schätzen wisse, in einer Sänfte getragen zu werden? Lächerlich.

Meine Erbschaft macht mich noch einmal verrückt. Vom Pekinger Senat eine Aufforderung, in Palast Drei den Deckenfries abklopfen zu lassen. [Einem Besucher fiel während der Führung eine Drachenklaue aufs Haupt.] Der Teufel hole diese alten Kulturen!

Es ist Nacht; ich habe das Fenster geöffnet und vergnüge mich mit dem Farbgeräuschspiel. Fernes Hundegebell. [Es ist schmalschultrig, heiser und sentimental.] Also: hellblau zerfranst. Oder: Der Waldkauz im Park. [Sein Ruf ist scharf wie ein Diamant, er zerschneidet die rußgeschwärzte Glasscheibe der Nacht zu bröckelnden Splittern.] Also: zwischen neonbläulichem Weiß und giftig silbernem Grün. Oder: Auf den Feldern das Grillengezirp. [Eieruhrsand, der aus dem Weltall herabrinnt.] Also: gelblicher Grundton mit einem gemäßigten Stich ins Karmesinrot dörrender Vogelbeeren. – Ein Spiel, dem ich mein Leben lang anhängen könnte.

Frau von S. ließ durchblicken, sie habe mich gestern abend vermißt. Schrieb ihr erst mal ein Dutzend Terzinen; diese mehr philosophischen Inhalts. Vielleicht heute im Park ein Sonett? [Das Wetter ist ganz so, als ließe sich's unschwer auf Stimmung hin auswerten: böig, gülden und füllig.]

Unmöglich, es gießt.

Früh mit von Fittig am Spinett. [Überwand mich dazu, weil so auch Frau von S. in der Nähe; sie sitzt dann abseits und häkelt.] Scheine ihm Unrecht getan zu haben. Die Locke Lauras, gestand er, erinnere ihn an seine Schwester, von der er bislang im Medaillon eine Flaumfeder getragen. Kürzlich jedoch sei sie ihm auf unerklärliche Weise abhanden gekommen; nun, und da habe er Laura als Ersatz eben um eine Locke gebeten. Klingt plausibel; eigentlich hätte mein Verdacht ja auch schon daran zerschellen müssen, daß er noch nie seinen Käfig verlassen [genauer: daß Frau von S. ihm nicht gestattet, ihn zu verlassen]. Wenn sich Laura doch nur nicht so schamlos um ihn bemühte!

Das Buch eines Knaben gelesen, der über einen dieser Kriege nicht wegkommt. Dauernd, will er, soll uns, was ihn damals entsetzte, jetzt noch mal erschrecken; sein Buch ist ein einziger Racheakt. Aber haben wir, die Leser, denn schuld, daß es dem Autor so übel erging? Soll er sein Buch den *Feldwebeln* zur Pflichtlektüre empfehlen.

Nüchtern geblieben; die Frühstücksbrezeln waren zu schön, um gegessen zu werden. Legte sie vor die Beethovenbüste. [Jetzt noch was ähnlich Geartetes unters Böcklinbild!]

Am Morgen, durch ein tauperlengeschmücktes Spinnweb hindurch, die Sonne betrachtet. Sie ging soviel mal mehr auf, wie Tropfen in den Sprühfäden hingen. – Man müßte dem wenigen Teuren, das man auf dieser Welt hat, in Spiegelsälen zu wohnen befehlen. [Werde, zunächst mal beim Nachtessen, Lauras Frisierspiegel vor mir aufstellen lassen.]

Was mir besonders an mir gefällt: meine Augen. Das hat mit Eitelkeit nichts zu tun. Es ist nur gut zu wissen, daß [bei allem Selbstverschuldeten] auch etwas aus einem heraussieht, was man *nicht* hineingezerrt hat.

Der Herr, welcher die Fremdwortgedichte macht, schrieb. Man habe sich, durch seine Fürsprache bestärkt, nun endgültig für die Drucklegung der »Sterntränen« entschieden. Meinen Wunsch, den Einband betreffend, verstehe er nur zu gut; er verspricht, das zu regeln. Ob es mir recht sei, wenn er ein Vorwort dazuschriebe. Antwortete bejahend, bedingte mir jedoch aus, notfalls ein Nachwort anhängen zu dürfen.

Das Goldhähnchen, dem ich den Sonnenstaubpart geschrieben, war hier. Es studiert jetzt Musik. Ob es nicht singen dürfe, wenn es vom Schnürboden herabschwebe. Mußte bedauern. – Es schien mir gekränkt, als es ging.

Neuerdings wirft mir Laura wieder meine freundschaftliche Neigung zu Frau von S. vor; auch an der Existenz der Dobermännin glaubte sie Anstoß nehmen zu müssen. – Begreife immer weniger, was ich an dieser geistlosen Person [gemeint ist natürlich Laura] einst anziehend fand. Sie ist und bleibt eine Schlummerrollen-Natur. Ihre Haupteigenschaft jedenfalls besteht nach wie vor darin, zu spät zu kommen, so oft es nur angeht. Ihre neueste Entschuldigung: Daran sei die Sorgsamkeit schuld, die sie auf ihre Toilette zu verwenden pflege. Schön, verstünde sie wenigstens noch etwas aus sich zu machen; aber nein: statt sich adrett und geschmackvoll zu kleiden, trägt sie ellenlange Schleppen und aufgesetzte Tornüren. Und dann: Ständig diese Riesenschleife im Haar! Diese überhohen Absätze! Grotesk.

Im Weiher mein Antlitz betrachtet. [Trauerweidenzweige hingen hinein, und rostende Goldfische glitten hindurch.] Oh der überirdischen Melancholie dieser Züge! Ich möchte sie mit einem Schleier verhüllen und ins Vertiko einschließen, daß sie mir nicht bei einem unachtsam erzeugten Luftzug zerspringen.

Schach mit von Fittig. Er spielt mir zu rüde; ließ ihn, befremdet, gewinnen.

Mein Bruder erschien mir im Traum. Er sah abgespannt aus; er sagt, er sei im Nirwana mit der Schaffung von Volksparks betraut worden. Bat ihn, sich etwas auszuruhen in meinem Traum. Er hatte jedoch keine Zeit, er mußte noch Werbeprospekte und Transparente besorgen.

Abermals zum Kulturreferenten befohlen[!] worden. Jetzt paßt ihm wieder der Monolog des Ballons nicht; man gewinne den Eindruck, ich wollte hier gewisse [wohlverstanden: verdiente] Geistesschaffende ideologischer Wurzellosigkeit verdächtigen. Ich: Mein Stück sei ein Drama und keine Farce. – Und ging.

Dem Regisseur meines Stücks und den Hauptdarstellern ein Essen gegeben. Gelungener Abend. Dennoch: skurriles Völkchen, diese Vaganten. Der Regisseur, ein Bernhardiner, nimmt wohl irgendein Rauschgift; jedoch, hat es den Anschein, weit mehr um zu wirken als aus Bedürfnis. [Und in der Tat sieht sein Gesicht jetzt auch recht leidend und eindrucksvoll aus.] Alles, was er sagt, klingt unglaublich bedeutsam; ob es das wirklich jedoch, wagt man nicht zu entscheiden. Der Darsteller des Weltgeists, ein ältliches Pferd, hatte noch ein jüngeres bei sich. Obwohl beide nachweisbar männlich, hielten sie einander fast ständig bei den Hufen und warfen sich außerordentlich irritierende Blicke zu. Den Ballon spricht eine Frau: eine blonde irische Setterin. Ihre leidende Miene und ihr tragisch schluchzendes Organ geben zu der Befürchtung Anlaß, der Aufbruch des Ballons könne pessimistischen Deutungen ausgesetzt sein. Doch der Bernhardiner be-

Sie warfen sich außerordentlich irritierende Blicke zu

ruhigte mich; die Setterin spreche nur im Privatleben so, auf der Bühne rede sie leidlich normal. Auch die Taubendarstellerin befremdete mich; sie trug eine uniformähnlich geschnittene Bluse von verwaschen meerblauer Farbe, ein rotes Halstuch und eine Baskenmütze im Nacken. Sie hatte nicht lange Zeit, sie hat noch im östlichen Teile der City als Friedenstaubenkomparsin zu tun. Wir schieden voneinander in der Gewißheit, uns einen überaus festlichen Abend bereitet zu haben; besonders die Setterin wurde nicht müde, das des mehreren zu betonen.

Gräßlich. Werde gezwungen sein, mir ein Telefon anzuschaffen. Jetzt noch eine Tageszeitung, und man unterscheidet sich in nichts mehr vom Durchschnitt.

Sehr bewegt. Soeben die Fahnenabzüge der »Sterntränen« erhalten. Warf mir die Tunika um, parfümierte mich und werde im Park nun das Fest meiner Drucklegung feiern.

Empört. Es wimmelt von Druckfehlern. [Sie müssen Buschmänner unter den Setzern haben.] Und dauernd »selig« mit h! Unglaublich.

Das Vorwort des Herrn, welcher die Fremdwortgedichte macht, mir anzueignen versucht. Verblüffend. Er hat mich entdeckt, schreibt er. Außerdem seien die »Sterntränen« undenkbar ohne den »frei assoziierenden Kahlschlag«, den sein »bluthungriges Versbeil ins Dickicht eines troglodytischen Präsens geschlagen«. – Was gäbe ich darum, das zu verstehen!

Oh dieser kupfernen Abende jetzt! Klirrend gleiten sie, Ring um Ring, dem alternden Sommer vom Arm und in die randvoll gefüllte Schmuckschatulle des täglich karger gesonnenen Jahres hinein. – Frau von S. teilte mir mit, daß ihre Freunde sie Anuschka nennen.

Lange sinnend meinen Bleistift betrachtet. [Faber Nr. 2, ich schreibe gern weich.] Welch tragisches Werkzeug! Um an seine Seele zu kommen, beschneidet man ihm den Körper: Der Dichter ist der Satan der Bleistifte; ihre Angst vor der Hölle meint den Papierkorb; in ihm verströmen ihre Graphitseelen auf achtlos zerknitterten Bogen seufzend das hingeopferte Leben. – [Daran gewöhnen, mit Tinte zu schreiben.]

Im Muster der Schlafzimmertapete [vorm Einschlafen] ein Ausschnitt, der in seiner verschnörkelten Eleganz an die kürzlich ungegessen gebliebenen Beethovenbrezeln erinnert. Flüchtig betrachtet, läßt es sich auch für eine vielfach verschlungen Hydra ansehen, welche sich gleißend um das gepanzerte Schienbein des Herkules windet.

Was mich reizte herauszugeben: ein Milieulexikon. Man braucht [sagen wir, um sich für ein Gedicht vorzubereiten] zum Beispiel das Panorama eines Vorstadtfriedhofs kurz nach dem Regen. Man schlägt also unter »Vorstadtfriedhof« nach und findet dort bei der Unterabteilung »Regen«: a] Optisches: Gleißende Zweige der Trauerweide; dampfende, schlecht beschnittene Buchsbaumhekken [zuinnerst leicht gelblich: kein Licht]; Schwarzdrosseln, die ans Licht drängende Regenwürmer belauern; eine Witwe, die den Regenguß in einer marmornen Familiengruft abgewartet und sich nun in einer Pfütze [in welcher sich, je nach Bedarf, entweder der – hochwahrscheinlich blaue – Himmel, das verhärmte Witwenantlitz oder eine abgebrochene Granitsäule spiegeln] den Rost von den Händen wäscht, welcher beim Übersteigen des Gitters an den Fingern haftengeblieben; verblaßte Papierblumen, in denen [wichtig!] die Regentropfen repräsentativer als in wirklichen wirken; und, nicht zu vergessen, unter der tröpfelnden Leitung: ein badender Buchfink. b] Akustisches: Schritte auf knirschendem Kies [der Friedhofsinspektor, der mit dem Tesching auf Rattenjagd geht: die Gänge der Ratten sind feucht, ihre Insassen sonnen sich jetzt]; blechernes Tropfgeräusch, erzeugt durch die undichte Dachrinne an der Friedhofskapelle; Niesen [besagte Witwe, sie hat sich in der Gruft den Schnupfen geholt]; das ferne Klingeln einer Straßenbahn; der Schreckruf des Gartenrotschwänzchens [es hat eine Katze gesehen]; und, nicht zuletzt, nebenan in der Gärtnerei: ein in die Gießkanne zischender Wasserstrahl [denn in die Treibhäuser hat es ja nicht hineingeregnet]. c] Gerüche: Rost [schrottige Gußstahl-Engel]; dampfender Kompost [die Gärtnerei]; »Grabeskühle« [bestehend aus 1.: Moosduft, Schneckenschleimdünsten, Krötenozon;

2.: Erdgeruch, Marmoratem, Wachsblumentau]; Handkäse [das Stullenpapier des Totengräbers, es ist zur Hälfte vom Lehm eines frisch aufgeworfenen Grabes bedeckt]. d] Assoziationen. Kette A: Museum, Parthenon, Pilzkolonie, Trauermarsch, Kriegermal, Lackstiefeletten. Kette B: Ave Maria, Erbanspruch, Palmenzweig, Rechtsanwalt, Trauerrand, Schmetterling. [Weitere Assoziationsketten bei Einsendung von dreißig, rspkt. fünfzig Pfennig das Stück direkt vom Verlag.] – Hierfür Mitarbeiter gewinnen!

Den Abend mit Frau von S., wollte schreiben: mit Anusch, im Park. [Es war das erste Mal, daß sie dabei diesen von Fittig im Söllerzimmer gelassen.] Wir hielten einander nur stumm bei den Händen und lauschten dem gläsernen Pfiff einer verspäteten Drossel. – Soeben auf einen Sitz neununddreißig Sonette. Es kam ganz plötzlich. Nur schnell ein paar Pfirsiche eben; dann weiter.

Beim Frisieren ließ der Haarkünstler heute die heiße Brennschere fallen. Der Abdruck auf dem Parkett gleicht einem Antiqua-M mit alabasternen Rändern. Lange rätselnd davor [auch der Friseur ist relativ ratlos].

Eben auf der Treppe Laura begegnet; sie kam aus dem Boudoir und hatte den Käfig dieses von Fittig im Arm. Laut mit dem Insassen scherzend [!], trug sie ihn ins Söllerzimmer hinauf. Getan, als sähe ich sie nicht.

Den Glockengeist auf dem Jahrmarkt besucht. Er hat meinen Rat befolgt und sich in die Tochter des Raritätenbudenbesitzers verliebt; zur Hälfte ist er schon sichtbar. Enttäuscht: scheint ein ganz gewöhnlicher Mensch werden zu wollen.

Auf den Karussells gestern: wunderbar verwaschene Holzpferdeköpfe. [So ein kränklich bleiiges Gespensterdeckweiß, etwa wie sich Ende August oft alte Landhäuser vom Gewitterhimmel abheben.] Und lauter bonbonklebrige Kinderfingerabdrücke dran. Und Augen, diese Pferde, wie frühgotische Holzchristusse, ganz starr und fischig.

Anusch war bei mir die Nacht. Oh des elektrisierenden Funkengestiebs im knisternden Pelz dieser Frau! – Laura machte mir beim Frühstück natürlich prompt eine Szene. [Fürchte, sie hat Anusch aus dem Schlafzimmer huschen sehen.] Zofenseele. Ich gab vor, es sei der Verwalter gewesen, mit dem ich die Herbstbestellung besprochen. Darauf Laura: »Seit wann erklettern Kaninchen Kamine?« Peinlich, der Vorfall.

Eins der Sternküken legte heute unvermutet ein Ei. Gespannt, was herauskommt. – Laura buhlt schändlich mit diesem von Fittig. [Wenn ich die beiden nur nicht mal in flagranti ertappe, daß ich mich am Ende noch schlagen muß!]

Immer wieder erneut fasziniert von der Beharrlichkeit, mit der mein Spiegelbild mich verfolgt; selbst aus der Kaffeetasse starrt es herauf. [Idee: Jemand ist zornig auf diese Spiegelung und schluckt sie beim Kaffeetrinken herunter. Seine Angst jetzt davor, auf die Toilette zu gehen. Daraus ein Film!]

[Oder: Einer erkennt im Spiegel an sich den Tod und stürzt hin. Sein Spiegelbild bleibt noch einen Augenblick kopfschüttelnd stehen, dann entschließt es sich mißmutig, ebenfalls niederzusinken.]

Presseempfang beim Kulturreferenten. Anlaß: Mein Stück. Erstaunlich, womit diese Reporter ihre Leser zu langweilen gedenken. Ein Huhn [es leitet, wenn ich mich recht entsinne, das Feuilleton einer Hausfrauenzeitung] fragte mich, ob ich mit dem Ballon, der doch im vierten Akt hinauf in den Himmel [ich mußte verbessern: ins All] steige, die Frauenemanzipation meine, was ich – mich Lauras erinnernd – erschrocken verneinte. Ein Gorilla in einem unangenehm großkarierten Sportsakko mit fallenden [!] Schultern fragte kauend, was ich von der Methode halte, morgens vor der Arbeit [»Arbeit« –: er wollte mich beleidigen] Steine zu stemmen und Knoblauchsäfte zu trinken; und eine etwas verwahrloste Bulldogge mit offenem Hemdkragen und aus der Stirn geschobener Schiebermütze gar wollte im Weltgeist einen Gewerkschaftsboß erkannt haben, gegen dessen Verächtlichmachung sie anläßlich der Premiere des Stücks schärfstens zu protestieren gedenke. Die geplante Ansprache des Kulturreferenten entfiel [der Referent hatte in einem neu eröffneten Tanzlokal die Varieté-Attraktionen zu prüfen]. Der abschließend gereichte Imbiß war mager, was die Reporter zu einhelligen Schmährufen auf den Kulturreferenten vereinte. – Begnügte mich mit einem Pernod; ich hatte Kopfweh bekommen.

Laura wird unerträglich. Eben sah sie durch mich hindurch, als sei ich ein Mückenschwarm. – Einen meiner Sänftenträger entlassen müssen. Er hatte sich im Badezimmer hinter den Handtüchern verborgen. [Jedoch nicht genügend: seine Schnabelschuhspitzen sahen hervor.] Vermute, Laura hat ihn gekauft.

Ein uralter Spaniel, dem ständig die Brille beschlug

Ein uralter Spaniel, dem ständig die Brille beschlug,
suchte mich auf. Es habe sich, führte er umständlich aus,
nunmehr dringend als notwendig erwiesen, daß ich mich
dem »Trutzverband verwaister Autoren« anschlösse; es

gehe nicht an, daß ich noch länger so abseits stünde. Er hatte meine Mitgliedskarte gleich bei sich. Schrieb ihm eines meiner neuesten Sonette darauf, dankte für die Teilnahme des Verbandes und bat ihn, zum Essen zu bleiben; er lehnte jedoch ziemlich brüsk ab.

Heute brach endlich das Sternkükenei auf. [Hatte es mit Seidenpapier umwickelt und in meinem wattierten Pantoffel verstaut.] Eine winzige Sternschnuppe lag drin. Da sie einen feinen, etwas klagenden Ton von sich gab, überlegte ich, wie ich sie besänftigen könnte. Zum Glück fiel mir der Kasten mit dem Christbaumschmuck ein. Wählte einen violett bemalten Glasstern aus, an dem ich die Schnuppe befestigte. Sofort ging ihr Klagen in Schnurren über und nicht lange, und sie schwirrte mit ihrem Glasstern zusammen unter der Schlafzimmerdecke dahin. – Den Anusch-Zyklus voranzutreiben versucht. Vergeblich [spüre den Wergrocken zwar in mir, kann jedoch das Fadenende nicht finden]. Betrübt; mir war so nach Dichten.

Anusch war wieder bei mir. Zwar nicht in der Nacht [das Surren der Sternschnuppe störte sie wohl], doch bis weit in den Abend hinein. Oh des phosphoreszierenden Glanzes dieser honigfarbenen Augen! Und mit welcher Grazie sie sich des Hutes oder gar erst des Schleiers entledigt! Diese fließende Anmut! Dieser schokoladene Charme! War derart begeistert, daß ich mich hinkniete vor ihr. Gerade da kam Laura herein. Zum Glück war ich geistesgegenwärtig genug, auf dem Fußboden schnell laut murmelnd nach meiner Zahnbürste zu suchen. Anusch versicherte, es habe glaubwürdig gewirkt. [Ob auch auf Laura, muß dahingestellt bleiben.]

Oh des phosphoreszierenden Glanzes dieser honigfarbenen Augen!

Die Nacht durch beflügelt am Zyklus. Oh Anusch, Anusch! Jede Zeile atmet den Duft Deines Fells! Alles, Geliebte: Bütten, Gänsekiel, Streusand, paart sich mit dem zartfüßigen Rosengeist meiner Sehnsucht zu einer strahlenden Jubelhymne auf Dich.

FRÜH. ETWAS ENTSETZLICHES IST GESCHEHEN. ANUSCH hatte ihren Hut liegen lassen. Ich schleiche also zum Söllerzimmer hinauf, drücke lautlos die Klinke –: Wen sehe

ich da mit eindeutig vernachlässigter Garderobe über-
nächtigt dem Käfig dieses von Fittig entsteigen?: Laura!!
Ich war zu Tode erschrocken. Und das Schlimmste:
Nicht nur Laura und dieser von Fittig hatten mich ein-
treten sehen, nein, es sah mich auch Anusch, die sich soeben gähnend von der Ottomane erhob und hinter Laura
die Käfigtür schloß. Bestürzt warf ich den Hut auf den
Tisch und eilte die Treppe hinunter. – Großer Gott, und
der Blick dieses von Fittig! So niederträchtig kann einen
der schäbigste Sperling nicht messen.

Schade. Und ich wäre so gerne in Milde gestorben. Nun
aber wird mich die Kugel dieses adligen Bastards wohl in
den Staub strecken. [Wäre doch noch ein wenig Zeit, um
sich im Pistolenschießen zu üben!]

Von Fittig nahm an. Die Besprechung der Sekundanten
findet heute nacht im Ulmenhain statt. – Ach, genügt es
denn nicht, Ehre zu haben?! Wozu auch noch Mut haben müssen? [Dieser gräßliche Codex!]

Pro forma gefragt worden, ob ich willens sei, von Fittig
die Hand zur Versöhnung zu reichen. Ehrlich gesprochen: Nichts lieber. Allein: Die Ehre gebeut das Duell.

Laura platzt fast vor Aufgeblasenheit. [Jetzt kommt ihr
wahrer Charakter erst richtig zum Vorschein.] Zeigte sie
sich meines Opfertodes doch wenigstens würdig! Aber
nichts davon: Ich verteidige etwas, das sie niemals be-
sessen; ich werde getötet um des Fortbestandes einer
Kollektion Haarschleifen willen; ich gehe dahin, auf daß
sich die seelische Trägheit dieses Geschöpfs ins Uner-
meßliche steigere. – Ach, Laura, Laura, wo sind die Zei-
ten, da uns noch das Blühsegelspiel einte?

Oh Schmerz, Schmerz, die Mutterhand dieses Lebens jetzt fahren zu lassen! Wohin nun mit mir im Tunnel der Nacht? Werde ich aufspringen müssen, wenn der Geisterzug an mir vorbeirast? Wird er halten? Wird man mich einsteigen lassen? – Dunkle Ahnung, daß die irdische Aufenthaltsgenehmigung leichter zu erlangen als die Abreiseerlaubnis. – Wäre doch erst alles vorüber.

Endlich gefangen. Mag kommen, was will; ich bin bereit. – Anusch ist rührend. Sie legte mir nah, mich von Laura zu lösen. Oh, nicht nur von Laura, Anusch: von dir, von der Welt, meinem Schreibtisch, dem Park. Dahin, dahin; Bleigewichte, die der Freiheit die Ferse beschwerten. [Himmel! Und am Freitag Premiere!]

Mein Testament aufgesetzt. Laura enterbt; Anusch zur Haupterbin eingesetzt. – Nun noch ein Gang an den Weiher.

Meine Sekundanten sind: Konrad von Heidersloh [jener Windhund, dem ich das Libretto geschrieben] und Enno von Eckstein, ein entfernter Vetter von mir, der Aufsichtsrat in einem Hundekuchenkonzern ist. Beide in hohem Maße korrekt. [Enno versprach auch, einen Arzt zu besorgen. Wozu nur? Ich habe nicht vor, diesen von Fittig zu treffen; mag ihn die Schuld an meinem Tode bis an die Bahre verfolgen.]

Eben sind mir die Sekundanten des Gegners vorgestellt worden. Beängstigend fragwürdige Erscheinungen; beides Spatzen; der eine trägt eine Augenklappe, der andere schielt. Verstehe diesen von Fittig nicht; wenigstens *hier* hätte er sich einer gewissen Korrektheit befleißigen können.

Genug des irdischen Stückwerks; ich packe bereits der Seele die Koffer. – Ein Herr von der Steuer war hier. Bat, ihn beim Vornamen nennen zu dürfen und bot ihm das Du an. Wir dinierten zusammen. Beim Abschied ihm die Nietzschebüste verehrt; er versprach, sie in Ehren zu halten.

Morgen früh, um dreiviertel sechs, sind die Würfel gefallen. Distanz: zwanzig Schritt; ich schieße zuerst. Von Fittig erbat sich, aus dem Käfig schießen zu dürfen, das Unmaß der ihn umbrandenden Freiheit irritiere ihn sonst. Da der Käfig weitmaschig ist, gestatteten wir es. Zudem: Ich will ja an ihm vorbeischießen. [Gräßliches Wort.]

Anusch ist nach wie vor rührend. Wenn von Fittig gewönne, würde sie sich augenblicks von ihm trennen, um ganz der Erinnerung an mich leben zu können. Die Gute. Teilte ihr mit, daß ich sie zur Haupterbin eingesetzt; sie war ganz verlegen.

Als ich mich eben zur großen Schlußmeditation sammeln wollte, platzten die Telegraphenarbeiter herein. Jetzt, am Vorabend meines Ablebens, ein Telefon! Und in *dieser* Welt hat man gelebt.

Die Sternkükenschnuppe scheint mir vorausgeeilt zu sein, ich kann sie nirgends entdecken. Gemach, teures Schnuppchen: schon morgen umgaukeln wir uns.

Wüßte nicht, was ich als Letztes in dieses Heft noch eintragen sollte. Die Ausgeglichenheit in mir hat den Schmerz überwältigt. Auf der Burg meiner Trauer weht

Beängstigend fragwürdige Erscheinungen: beides Spatzen

purpurn der Wimpel des Abschieds. Die einst so betrieb-
samen Fenster haben beschämt ihre Lider geschlossen,
und auf dem Hof klappert der Wind in den Akazienscho-
ten des verfrühten Vergessens. Dahin; ich erwarte gelassen die stoppelbärtige Wange des Morgens, zum letzten Mal soll sie knirschend an der Fassade meines Lebens
entlangschaben: Wohin *ich* aufbreche, ist man rasiert.
Stunden nur noch. – Der Champagner ist alle. Habe mich
mit Parfüm übergossen, Mozart gespielt und den Schreibtisch in lila Musselin eingehüllt. Alles ist gut. – Wenn ich

doch nur das Schleifenalbum mitnehmen könnte! [Werde es während des Duells unter dem Arm tragen, vielleicht läßt man mich drüben mit ihm passieren.]

Es ist soweit; aus den Nebelschwaden im Hof unten glänzt schwarz das Dach der Kalesche. [Von Fittig – befremdlicherweise noch immer von Anusch getragen – ist bereits aufgebrochen.] – Nun bleibe zurück, Welt: Wer steigen will, muß Stufen verlassen. Ich durchquerte die Pförtnerloge verblaßter Gewöhnung; jetzt beginnt der

Aufstieg zum Besitzer des Hauses. Möge er mir die versäumte Mietzahlung stunden.

Nochmal zurück: Hatte vergessen, die Kakteen zu gießen. So. – Großer Gott: Das Telefon klingelt.

Das Kriminalkommissariat war es. Ich beherbergte, wirft man mir vor, zwei berüchtigte Hochstapler in meinen Mauern. Lächerlich. Verlieh meinem Befremden Ausdruck und legte auf. – Oh fort, fort von dieser Galeere!

Feigling!

Laura.

Steckst Du noch mal deinen degenerierten Mopsschädel in dieses Heft, Pekinesin, mach ich Hackfleisch aus Dir.
Anna von Samtenau

ZUM ERSTEN MAL WIEDER AUF. DIESE EWIGEN VERHÖRE machen einen ganz krank. Doch nun ist das Schlimmste vorbei. – Oh Anusch, Anusch, einen so zu betrügen! *Du* eine Erbschleicherin, eine steckbrieflich gesuchte Hochstaplerin gar! Es ist nicht zu begreifen. – Schön, daß dieser von Fittig in Wahrheit ein ganz gemeiner Haussperling war, der sich mit Hilfe von Wasserstoff ein gelbliches Aussehen zu verleihen verstand, Zuhälter war und Emil Matrazke hieß – das will ich noch hinnehmen [hegte ja schon immer eine tiefgreifende Aversion gegen ihn]. Aber du, Anusch, eine mehrfach vorbestrafte Hinterhofkatze mit dem schmerzenden Namen Thisbe Miautzek?!

Das verstehe, wer will, mein gramdurchpflügtes Gehirn erfaßt es nicht mehr.

Mein Testament vernichtet.

Laura das Haus verboten. [Sie hatte die Stirn, mich um Verzeihung zu bitten.] Fort, mir aus den Augen mit dieser buhlenden Schlange! – Oh Welt, Welt: und was nun mit uns beiden?

Tatsächlich, man scheint höheren Ortes meinen angestrebten Heimgang als verfrüht zu erachten. Sehe mich also [weniger wohl als übel] gezwungen, wieder Ordnung ins Gewirr meiner Tage zu bringen. Hier zunächst ein Bericht der Sekundanten über den Verlauf des Duells; ich schreibe ihn ab:

»Es war neblig, doch die Entfernung von zwanzig Metern eben noch tragbar. Die Duellanten gaben sich ruhig und gelassen. Herr von F. zog es vor, aus dem Käfig zu schießen, jedoch wurde abgemacht, er dürfe den Pistolenlauf nicht auf eine der Querstreben stützen. Der Beleidigte schoß zuerst. Die Kugel schlug in einen dreißig Meter links neben dem Gegner befindlichen Schutthaufen ein, woselbst sie einen ausrangierten Eimer durchbohrte sowie eine hohe Staubfontäne erzeugte. Sodann schoß der Gegner. Die Kugel schlug dem Beleidigten ein mit gepreßten Blumen verziertes Album, welches der Schütze sich während des Duells unter dem Arm behalten zu dürfen erbeten hatte, aus demselben, was zur Folge hatte, der Beleidigte holte mit dem nächsten Schuß [jedoch ohne ihn sonst zu verletzen] dem Gegner die Perücke vom Haupt. Hier mußte der Fortgang des Ehrenstreits [sehr zum Unwillen aller Beteiligten] leider unterbrochen werden. Das zuvor abgeschrittene Geviert war plötzlich von Polizisten umstellt, und ein Lautsprecher forderte zur Einstellung der Feindseligkeiten auf. Im selben Moment entstürzte der Kalesche des Gegners [die feindlichen Sekundanten hatten schon vorher das Weite gesucht und gefunden] die Dame, welche ihn zum Duellplatz gebracht; sie eilte zum Käfig, öffnete denselben und verschwand, sämtliche Kleidungsstücke hinter sich lassend, mit eminenter Geschwindigkeit zwischen den Ulmen; ein Vorfall, der unter den heranrückenden Polizeiorganen etliche Verwirrung hervorrief. Diese verstand hinwiederum der Gegner zu nutzen, indem er, zwar seiner Perücke, nicht jedoch der Pistole verlustig, behende den Käfig verließ, sich steil in die Lüfte erhob, um sodann aus einer Baumkrone herab auf die stracks herbeieilenden Polizisten das Feuer zu eröffnen. Glücklicherweise wurde niemand verletzt, nur als der Gegner davonflog und die geleerte Pistole herabfallen ließ, rief das bei einem Unterwachtmeister eine kurze Ohnmacht hervor, indem die Waffe demselben nämlich den Tschako zerspellte. Im Verlauf des sich sofort daran anschließenden Verhörs [über das Duell wurde füglich hinweggesehen] ergab es sich, daß der Beleidigte in jener Anna von Samtenau und jenem Baron Felix von Fittig zwei berüchtigten Hochstaplern zum Opfer gefallen. Und zwar handelt es sich um niemand anderes als um das bekannte und seit langem polizeilich gesuchte Betrügerpaar Emil Matrazke und Thisbe Miautzek. – Bei Abfassung dieses Berichts sind beide Individuen noch flüchtig. – Die Richtigkeit vorstehender Angaben beglaubigen:

Konrad von Heidersloh [Komponist],
Enno von Eckstein [Aufsichtsrat].«

Mein Schleifenalbum geordnet. Viele, zumal der zarteren Exemplare sind urplötzlich erblaßt. Die Kugel, die es durchschlug, saß nämlich noch drin. Legte sie auf das Spinett; möge sie mich stets an die Unantastbarkeit meiner Ehre gemahnen.

Der Herbst entkleidet die Felder, und die Blätter erröten. – Eben hat die Polizei Anuschs Gepäck abgeholt. Mir ihren Lippenstift ausgebeten. [Mit ihm diese bebenden Zeilen.]

Ein Billett der Dobermännin erhalten: Wenn ich Trost brauchte – ihr Landgut stehe zu meiner Verfügung. In der Anlage: ein Taschentuch, in das sie mein Wappen gestickt. [Für sehr groß scheint sie meine Trauer nicht eben zu halten.]

Bestürzt. Meine Großmutter erschien mir im Traum; man habe sich höheren Ortes sehr über meinen »Aufbruchs-Tick«[!] amüsiert. – »Amüsiert«! Ich sterbe.

Meditiert und mir über mein vorschnelles Fortgehenwollen Rechenschaft zu geben versucht. Es hat den Anschein, ich war des in uns Pudel gesenkten Auftrags nicht eingedenk; nämlich: das Gewicht dieser Welt mit einer Marabubrustdaune aufzuwiegen sowohl, als aber auch einer Marabubrustdaune das Gewicht dieser Welt zuzuerkennen. Woraus die Nichtigkeit wie die Wichtigkeit alles Irdischen resultiert. Welcher von beiden Kategorien allerdings eine Zeitspanne zugerechnet zu werden verdient, das zu entscheiden ist Sache des Weltgeists. In diesem Sinne muß ich mich schuldig bekennen: Ich maßte mir an, das selbst entscheiden zu wollen.

Die Schwalbe, welcher ich sommers den Gruß an Alwine bestellt, sah auf der Durchreise herein. [Heute nacht fliegt sie weiter.] Sie wolle mich, sagt sie, lediglich daran erinnern, ihr jenen Gruß erneut aufzutragen; der von damals sei inzwischen doch schon ein wenig verblaßt. Gab ihrem Ansinnen statt.

Warum ich, fragte mich im Traum heute, höheren Ortes beauftragt, mein Bruder, den Entschluß, mich für Laura zu schlagen, gleichgesetzt hätte mit dem Wunsch, meinem Gegner unterlegen zu sein. Ich: Weil Tapferkeit eine Untugend sei, sie führe nur Ungerechtigkeit im Gefolge. Er nickte. [Dennoch: versuchen zu sühnen.]

Laura schickte eine Salami. Ward Disteln und Dornranken drum und ließ sie zurückgehen.

Was sehe ich eben?: Laura, eine Salami verzehrend. Einen Posten schwarzer Seide erstanden; daraus ein Kapuzenjakett. Jetzt nur noch dunkelgrünen Flanell für die Hosen und stürmisches Wetter, dann könnte schon ein Bekenntniszyklus entstehen.

Anusch erschien mir im Traum; sie saß in einer Art vergittertem Flugzeug; es hatte gelblich gefiederte Schwingen, die sich knarrend auf und nieder bewegten. Vor ihr war in Bordkanonenmanier eine Pistole befestigt, aus der sie unaufhörlich in die Herden der am Himmel weidenden Lämmerwölkchen hineinschoß. Da sah ich von fern meinen Ballon herangeschwebt kommen, ich schrie auf; zu spät: Schon hatte ihn Anusch entdeckt, eine Leuchtkugelkette fraß sich in ihn hinein, die Hülle zerbarst, und mit dem Ton, den in den Wochenschauen immer die

Größer als alle Gebirge der Welt: die Kolossalstatue des Kulturreferenten

Bomben erzeugen, tropfte eine große blutige Träne ins All, verschnellerte ihre Geschwindigkeit und näherte sich in rasender Eile der Erde, die sich jetzt wie ein riesiger tätowierter Kürbis unter mir aus dem wolkigen Blattgewog schälte. Irgendwie fiel ich mit, das Blut brauste mir in den Schläfen, die Ohren klatschten ums Haupt, und plötzlich erblickte ich unten, größer als alle Gebirge der Welt und drohend die Faust in den Himmel gereckt: die Kolossalstatue des Kulturreferenten. Diese Faust nahm sich die Blutsträne zum Ziel: mit ohrenbetäubendem Lärm zerbarst sie auf ihr, und unterm rötlichen Tropfengesprüh ward sichtbar die Taube: Sie hatte auf der Faust des Kulturreferenten Platz genommen und ordnete eben ihr Brustgefieder neu an. Entzückt rief ich ihr einen Kosenamen zu, und im selben Augenblick schoß sie auch schon wie ein Silberpfeil zu mir auf; nicht ohne den Kulturreferenten zuvor jedoch mit einem womöglich ebenso silbrigen Spritzer bedacht zu haben. Leider muß sie Ekrasit oder so etwas mit sich geführt haben; denn als ich sie mir an die Brust pressen wollte, gab es abermals eine Detonation, die so heftig war, daß ich erwachte und betäubt auf das Büschel Taubenflaumfedern starrte, das ich noch in der Hand hielt.

Der Tintenfisch Welt greift mit hundert Armen nach mir: Reporter im Garten, Berge von Erstlingsdramen, autogrammhungrige Krähenschwärme und: – dieses satanische Telefon. [Auch Laura rief an; sie leide. Ihre Stimme klang jedoch nicht so. Vermute, die Verworfene goutiert sich an den Gazetten.]

Allmächtiger!: Morgen Premiere!! Natürlich: und nicht *eine* meiner Künstlerschleifen gebügelt.

Eine beklemmende Unruhe hat sich meiner bemächtigt; entweder es gebiert sich etwas in mir oder mein Stück fällt durch.

NACHTS. ES WAR BEIDES DER FALL. – ICH SITZE AM Sühnezyklus, draußen tobt ein Gewitter [an dem ich aber unschuldig bin]. – Anfangs ging alles glatt: Der Weltgeist sprach den Prolog, das Goldhähnchen schwebte hernieder, die Taube trat auf; dann kam der Ballon. Merkwürdigerweise wurde jedoch schon sein erstes Auftreten [sehr überzeugend: die Setterin hatte sich einen echten Ballon am Halsband befestigt] teils mit frenetischem Beifall, teils mit den mißtönigsten Pfiffen quittiert. Vollends unbegreiflich aber wurde dieser Tumult dann am Schluß, wo der Ballon doch [mit den Worten: »Fall nun ab, oh Erdenschwere, hehrer Himmel sei mein Preis!«] hinauf zum Schnürboden steigt. Ich will mich hier damit begnügen, nur den [mir übrigens noch immer unverständlichen] »Grund« jenes Tumults zu notieren – der Inspizient sagte ihn mir –: Die Farbe des Ballons soll schuld daran sein, sie war rot. – Die Farbe! Lächerlich.

Die Nacht am Sühnezyklus. [Kam auf siebenundvierzig Sonette.] – Eben im Park. Ein strahlender Morgen; sehr herbstlich allerdings schon, besonders die Gräser. Sie sind von verwaschenem Braun und über und über mit Spinnweb und Silber behängt: winzige Angeln mit winzigen Fischen, denen die Sonne Schuppen geliehen. – [Fern, hinter den Weiden, eine gebeugte Gestalt; tippte auf Laura.]

Mein Stück ist abgesetzt worden. Der Kulturreferent bekam einen Verweis, der Volksbühnenlektor wurde verwarnt, der Regisseur erhielt eine Geldstrafe, die Schauspieler wurden entlassen. – Die Sonette auf siebzig.

Der Sommer beginnt am Grund schon zu rosten: das Wasser im Weiher ist rot. Dennoch: Für mich war der Ballon violett.

Wundervoll, die Abende jetzt. Und Sonnenblumen, wie Bauernbrote so groß. Wo stirbt der Sommer? Ich möchte an seinem Lager einen Gedenkstein errichten; auf daß sich der Herbst auch gebührend seiner erinnere.

Gedanken das Söllerzimmer betreffend. Wie es so spät im Jahr noch vermieten?

Ein Herr [aus dem östlichen Teile der City] hat mich brieflich gebeten, im »Bund zur Aneignung kulturellen Erbes« zu lesen. Da er höflich [zudem noch: handschriftlich] schrieb, sagte ich zu.

Und Vogelketten über Vogelketten am Himmel; gläsern klirrend hängen sie dem Herbst um den Hals. – Den Sühnezyklus, dank des Sturms gestern nacht, auf zweiundneunzig erhöht. »De profundis« rspkt. »Ad astra« will ich ihn nennen. [Erwäge, die Anusch-Sonette unter dem Zwischentitel: »Sündiges Eiland« in ihm aufgehen zu lassen.]

Laura wird nicht müde, sich bemerkbar zu machen. Soeben von ihrer Zofe einen Teller köstlich gebutterter Spargel erhalten. Bezwang mich jedoch und ließ ihn zurückgehen.

Zwei Herren [Hunde, Rasse undefinierbar] wollten mich zum Eintritt in ihre Partei überreden; sie gingen dabei von meinem Theaterstück aus. Versuchte zu erklären, daß der Ballon violett gemeint war, sie wollten jedoch nichts davon wissen. Es war überhaupt recht schwierig, sich ihnen verständlich zu machen; es schien, sie hatten etwas auswendig gelernt, und als diese Lektion dann zu Ende, begannen sie sie [jetzt etwas eindringlicher nur] noch einmal von vorn. Lud sie zum Essen. – Meine Überlegung erwies sich als richtig: schon das Schlürfen der Suppe ließ sie verstummen.

Stürmische Nacht. Den Sühnezyklus unterbrochen und Seifenblasen gemacht. Kostbare Exemplare dabei, sie sind mir selten so groß, so rein und vollkommen gelungen. Nur: Warum müssen sie bloß immer zerplatzen? Kann denn nicht jedesmal wenigstens *eine* dabeisein, die der Vergänglichkeit trotzt?

Laura meldet sich wieder; diesmal erschien sie mir gar im Traum. Ihr eine Karte geschrieben und mir diese Aufdringlichkeiten verbeten.

Im Weiher heute eine tote Libelle; sie schwamm aufrecht, mit ausgebreiteten Flügeln: eine gläserne Zwergenophelia. Als ich mich hinabbeugen wollte zu ihr, kam ein Goldfisch, der sie verschluckte; er schien mir zu grinsen, der Rohling.

Mit der Post heute: die ersten Buchexemplare der »Sterntränen«: Dunkelgrünes Juchtenleder; der Titelaufdruck: Antiqua in Gold. Leider das Gold nicht in *der* Lauterkeit, wie ich es mir vorgestellt hatte. Derlei beeinträchtigt das an sich schon nicht eben leichte Los, ein Dichter zu sein, letztlich doch sehr.

Es regnet und stürmt; die Ulmen sind kahl. Lese mit tiefem Genuß Eichendorffs »Taugenichts« wieder; zwischendurch, um diesen Genuß zu erhöhen, den »Ekel« von Sartre.

Das Söllerzimmer vermietet: Eine Schleiereule zog ein. Honette [ältere] Dame; sie kam auf Empfehlung des Pfarrers, der ihr bislang den Glockenstuhl zur Verfügung gestellt. Nun, die Winterzeit über, dröhnen ihr, der ständigen Andachten wegen, jedoch die Glocken zu oft. Sie dichtet. »Reformationsromane und Lyrik« ist auf ihrer Karte vermerkt. Auch ein Bankkonto hat sie. Summa summarum: recht respektierlich.

Der Wind hat mir das Foto meiner Taube entführt, ich sah es noch eben durchs Fenster entschweben. Stürzte sofort auf den Hof. Vergeblich jedoch: es wirbelte in unglaublicher Höhe gen Osten davon. – Sollte Laura hinter diesem Entführungsakt stehen?

Plane, mir ein Aquarium einzurichten; Wasser habe ich schon. Jetzt noch das Gefäß und die Fische!

Der Verwalter, erzählt man, habe eine Vision gehabt: Eine Pekinesin sei ihm im Traume erschienen. – Diesem zwiebelduftenden Kaninchen! Finde das geschmacklos von Laura; da gibt es doch wohl standesgemäßere Medien.

Soeben von der Lesung im »Bund zur Aneignung kulturellen Erbes« zurück. Sein Präsident, ein glatzköpfiger

Neufundländer, hatte die Freundlichkeit, mich mit einem eigens auf mich verfaßten Sonett zu begrüßen. Das Publikum ging sehr aufmerksam mit, ein Teil sogar bis zur Elektrischen. Man sang unterwegs. – Gebeten worden, bald wiederzukommen. Herzlicher Abschied.

Die Sternküken haben mich verlassen. Auf dem Spinett lag ein Zettel: Ein neues Sonnensystem sei erschaffen, sie hätten Order erhalten, es probeweis zu beleben.

Zum Kulturreferenten befohlen worden; er kocht. Wie ich nach diesem Affront [gemeint ist mein Drama] die Stirn haben könne, nun auch noch im »Bund zur Aneignung kulturellen Erbes« zu lesen. Ob ich mir klar darüber sei, daß das einem Verrat am Abendland gleichkomme!? Ich: »Und was ist der Abend ohne den Morgen?« Er [schäumend]: Ich würde schon sehen, was ich von dieser Einstellung hätte. Ich [kühl]: Des sei ich sicher. – Frostiger Abschied.

Laura ist in den Weiher gefallen. Ihre auffällig schnell zur Stelle gewesenen Sänftenträger lassen den Verdacht glaubhaft erscheinen, es hat sich hier um ein minuziös eingefädeltes Schauspiel gehandelt: Meinem Mitleid sollten Ovationen erpreßt werden.

Der Herbst kommt auf Krähenschwingen, das ganze Himmelsplakat ist schon schwarz von seiner krächzenden Claque; niemand wagt ihr entgegenzutreten, nicht mal die Sonne.

Noch ganz schwach. Anuschka schrieb. [Aus dem Gefängnis!!!] Alles, was man ihr nachsage, sei üble Verleumdung. Der einzige, der ihr jetzt helfen könne, sei ich; möge mich doch für sie einsetzen, zum Beispiel: eine Kaution stellen. – Soll ich?

Noch nie [was den Zyklus betrifft] so herrlich in Fahrt, wie jetzt, wo ich weiß, daß Anuschka leidet. [Tagespensum: bis zu vierzig Sonette.] Erwägung, ob statt »De profundis« nicht besser: »Nachtschatten« als Titel.

Regen. Sturm. – Ein Jammer, daß ich mit Laura verzankt bin; heute wäre das gegebene Wetter fürs Blühsegelspiel. Aus sonettbeschriebenen Blättern Schifflein geknifft und ein Weilchen allein manipuliert. Jedoch nicht das Rechte. Ob man die Eule zum Mitspiel herabbitten darf?

Gräßlich. Sie ließ mich gar nicht erst zu Wort kommen. Sie stieß mich in einen Sessel und las mir die letzten Kapitel ihres neuen Reformationsromans vor. Anschließend erbat sie mein Urteil. Beschränkte mich auf ein schwach akzentuiertes »Hervorragend« und bat – es dämmerte schon –, mich zurückziehen zu dürfen. Sichtlich gekränkt ließ sie es zu.

Von Luther geträumt; er nagelte, inmitten applaudierender Mäuse, eine Eule ans Kirchentor und verlas die Heeresdienstvorschrift, die auf eine Klo-Papierrolle gedruckt war, dabei.

Die Eule grüßt mich nicht mehr; ich muß sie ernstlich gekränkt haben. Den Koch beauftragt, ihr zum Vesper eine Büchse Nachtigallherzenragout aufzumachen.

Wieder mit Laura vertragen [sie besitzt ein Konversationslexikon, das ich benötige, um mich auf ein Versöhnungsgespräch mit der Eule zu präparieren].

Pech. Das Lexikon geht bloß bis Q; jetzt muß ich wegen dieses Stichworts »Reformation« doch extra zum Pfarrer.

Enttäuscht. Der Pfarrer berichtet dasselbe, was auch die Eule geschrieben, nur sehr viel prägnanter. Nun bin ich so unklug wie vorher. Was sieht sie beim Schreiben dieser Romane aber auch ständig der Geschichte über die Schulter; man schreibt doch nicht ab!

Meine Großmutter erschien mir im Traum. Die Sternküken seien gut angekommen. Was *mich* beträfe jedoch –: es braue sich da etwas zusammen. Ich: »Aber was denn nur, Großmama, *was?*« Sie: »Warte es ab.« Worauf ich erwachte. Stärkstens beunruhigt.

Der im Staatssicherheitsdienst stehende Bullterrier [begleitet von vier Dackeldetektiven, die inzwischen den Park unsicher machten] war wieder mal hier. Er bezichtigt mich der Flugblattverbreitung. Man hat irgendwo am östlichen Rande des westlichen Teiles der City das Foto meiner Taube gefunden, welches mir der Wind jüngst entführte. Die Rückseite hatte ich seinerzeit mit folgendem Achtzeiler versehen:

»Noah brachtest du die Kunde / von dem heiß ersehnten Land, / mir gab dich die hehre Stunde / stiller Läut'rung in die Hand; / flieg nun aus, du leichte Lichte, /·such's dir wieder, jenes Land: / Alle ird'schen Amtsgerichte / stehn auf Asche, stehn auf Sand.«

Versuchte zu klären. Zwecklos; ich sei ein Anarchist, ein Landesverräter; schon aus meinem Libretto, dem Drama und der jüngst stattgehabten Lesung im »Bund zur Aneignung kulturellen Erbes« sei das ersichtlich. Ein Haftbefehl liegt noch nicht vor. Jedoch blieben die Dackeldetektive zurück, die nun jeden meiner Schritte bewachen. – Laura weilt bei mir; die Gute ist bestürzter als ich. – [Weiß schon, wer mir das eingebrockt hat: Der Kulturreferent.]

Soeben erschien ein motorisiertes Aufgebot von Polizeihunden im Hof und besetzte die Ausgänge: Ich bin gefangen. Wie gut hat es da doch die Eule! [Sie flog soeben, zu einer Dichterlesung unterwegs, an meinem Fenster vorbei.] – Um Laura aufzuheitern, das Blühsegelspiel. Rührend; dauernd versenkt die Kleine mit ihren Tränen die eigene Flotte.

Mit meinem Anwalt beraten. Wir reichen eine Gegenklage ein; sie bezichtigt den Staat, er verbiete den Bürgern das Atmen. [Motto: »Gedichte sind Atemzüge des Geistes.«]

Das Gespräch mit der Eule fand statt. [Sie hat bereits einen *neuen* Reformationsroman unter der Feder. Ich fragte, warum sie sich ständig an die Geschichte anlehne, ein Dichter dürfe doch nicht ermüden. Prompt war sie wieder verstimmt. Und ich wollte doch lediglich andeuten, sie solle die Phantasie nicht vergessen; die aber schwingt ja wohl frei am Trapez.

Laura hat einen der Polizisten gebissen. [Die Kleine; ihr Zorn ist gut dreimal so groß wie sie selbst.]

Unterm Druck der Ereignisse [morgen Verhandlung] den Sühnezyklus auf hundertsiebenundachtzig geschraubt. – Mich doch zu »De profundis« als Titel entschlossen.

Muß mich kurzfassen, die Handschellen hindern. Also: Unsere Gegenklage ist abgewiesen. Ich bin zu sechs Monaten Gefängnis verurteilt. Meine »Vergehen«: Anarchistische Umtriebe, Unterminierung des Abendlandes, Verrat kultureller Errungenschaften. – Bin gelassen.

Liebster!
Ich weiß zwar nicht, ob ich es schaffe, aber ich will versuchen, einen der Wärter zu bewegen, daß er Dir diese Salami* und Dein Tagebuch gibt. Hier ist alles in Ordnung. Die Eule liest mir jeden Abend aus ihren schönen Reformationsromanen vor.
Herzliche Grüße, Deine Dich liebende Laura.
*Gleich essen, wird sonst schlecht!

LAURA, DIE GUTE, HAT DEN WÄRTER BESTOCHEN; ER schob mir eben dieses Heft in die Zelle; es riecht nach Salami.

Gar nicht só schlimm, eingesperrt zu sein. Froh, endlich mal wieder ein bißchen zum Meditieren zu kommen. Wenn bloß diese Klopfzeichen nicht wären, von allen Seiten will man wissen, was ich angestellt habe. – Was soll ich nur antworten?

Meditiert; dabei bis in die Außenbezirke des Nirwana gelangt. Scheint dort geregnet zu haben: alles eintönig, ausgestorben und grau; nur ein paar Reiherskelette stelzten abwesend durch die Pfützen dahin. Versucht, meinen Bruder zu treffen, seine Sänfte stand vor einem der Tempel am Rinnstein. Doch er hatte das Schild »Warten zwecklos« ins Fenster gehängt; da kam ich wieder zurück.

Eben zum ersten Mal auf dem Hof. Wegen was sie hier alles sitzen! Ein Karpfen [im Bassin in der Küche] wegen Wirtschaftsvergehens; ein Pferd wegen Befehlsverweigerung; ein Kalb, weil es der Metzgerinnung Gefühlskälte nachgesagt hat; ein Metzgerhund, weil er einen Steuerberater gebissen; eine Elster, weil sie Geld unterschlagen. – Mir schwindelt.

Gespannt, was es heute zu Mittag gibt. Mein rechter Nachbar klopft Erbsen, mein linker Spaghetti. Schätze, sie irren; mein Inneres sagt: Graupen.

Noch ganz durcheinander. Dieser von Fittig, alias Emil Matrazke, soll hier sein. Er leitet, heißt es, die Tütenklebe-Abteilung. Ob auch Anusch –? Wage nicht weiterzudenken.

Mir [zur Gesellschaft] auf der Toilette eine Fliege gefangen. Nenne sie Ingrid.

Beim Rundgang heute vor mir ein Schwein; es hat Wühlarbeit im Auftrag eines vegetarischen Geheimbunds geleistet. Es weint ständig und beteuert, daß es unschuldig sei. Beim Hinaufgehen steckte es mir einen Zettel zu, auf dem es aufruft zur Gefängnisrevolte.

Betrübt. Ingrid ist einer Spinne zum Opfer gefallen. Löste das durchsichtige Körperchen aus dem Netz und

bettete es sanft auf der Pritsche. Herauskriegen, ob Ingrid in einer Begräbniskasse gewesen.

Sogar einen Geistlichen gibt es hier unter den Häftlingen,
einen uralten, grindäugigen Bluthund. Sein Verbrechen:
Er hat an den Menschen geglaubt. [Augenblicklich
schreibt er ein Buch drüber.]

Mein rechter Zellennachbar schreibt ebenfalls; er klopfte
mir gerade den Titel herüber: »Die amputierte Linke,
Protokoll einer Operation.« Mir sagt das wenig; sicher
wieder irgend so was Ungütiges.

Die Spinne ist im Eßnapf ertrunken. So lieb Ingrid mir
war – das wäre nun auch wieder nicht nötig gewesen.
Trocknete sie an der Sonne. [Gelegentlich eine Gasele
auf sie.]

Ein Kassiber von Laura: Alles wäre in Ordnung. Was
mit dem Wasser auf dem Kleiderschrank sei. – Stimmt;
wollte mir ja ein Aquarium einrichten. – Versuchen,
Laura deshalb im Traum zu erscheinen.

Auch mein linker Zellennachbar schreibt an einem Roman. Nach dem Titel befragt, klopfte er: »Justitia in
Fesseln« oder »Die Freiheit bin ich« herüber; er sei sich
nur noch nicht im klaren darüber, ob er nicht am Ende
auch die Gerechtigkeit sei. Schlug »Die Blindheit der
anderen« vor, das lasse für *beide* Annahmen Raum. Er
versprach, es sich durch den Kopf gehen zu lassen.

Im Meditieren es heute zu einer guten Leistung gebracht:
Mir war kalt [neblig draußen]. Da rief ich mir eins der

Noch ganz bezaubert vom Charme dieses Mannes

van Goghschen Kornfelder ins Gedächtnis und legte
mich auf eine Stunde hinein. Mir dröhnen jetzt noch die
Schläfen. [Natürlich, was ich schon immer geahnt: diese
Sonne ist viel zu heiß aufgefaßt.]

Besuchstag. Laura kam nicht. Dafür suchte eine Abordnung des »Bundes zur Aneignung kulturellen Erbes«
mich auf. Die Delegation [lauter sich verlegen räuspernde
Bulldoggen] wurde von einem, allerdings äußerst liebens-
würdigen Schimpansen geführt. Er bringe, führte er unter
anderem aus, mein Stück jetzt in *seiner* Inszenierung heraus; er habe sich lediglich erlaubt, der Taube einen Anti-

kriegssong in den Schnabel zu legen und dem Ballon zur Selbstverteidigung eine Maschinenpistole mit auf die Bühne zu geben. Ich würde staunen, fügte er lächelnd hinzu, wie das auch die Glaubwürdigkeit des Gesamtkunstwerks höbe. Noch ganz bezaubert vom Charme dieses Mannes.

Vom Rundgang eine Kellerassel mit nach oben gebracht. Allerliebst, die possierliche Kleine; will sie Theophano nennen.

Auch mein Wärter schreibt an einem Gefängnisroman. Die Handlung, sagt er, wickle sich ab in einer einzigen Zelle. Eine grelle Lampe sei aufs Gesicht des Erzählers gerichtet; im Schatten stehe der Henker. »Und –?« fragte ich. Nichts, sagte er, das sei ja das Tolle. – Jerum, jerum, wer soll nur all diese finsteren Bücher dann lesen? Fällt denn niemand heute mehr etwas Gelösteres ein? Es brauchte ja deshalb nicht gleich eine Humoreske zu sein.

Noch ganz durcheinander. Tatsächlich: Anusch ist hier. Aber *was* für eine – oh Gott! – Will mich zu fassen versuchen. Also: Ich wurde zum Kartoffelentkeimen in den Keller beordert. Dort stieß ich auf sie. Ihr liegt ob, die Mäuse [!] zu tilgen. Das Schlimmste war die Begrüßung. [Ich schreibe nur Anuschs ersten Satz her, jeder folgende war ein noch grausamerer Peitschenhieb:] »Na, Piepel, *ooch* unter de Räder jekomm'n?« – Ich starb fast. – Es sollen hier übrigens bereits neun [!] uneheliche Kinder von ihr herumlaufen; eins traf ich; es trägt zum Glück nicht meine Züge. – Nein: für mich ist diese Frau tot; sie heißt auch nicht Anusch, sie heißt wirklich nur Thisbe Miautzek. Eine ganz ordinäre, mehrfach vorbestrafte

Hochstaplerin und Hinterhofkatze. – Jetzt bloß nicht auch noch diesem von Fittig, alias Emil Matrazke, begegnen!

Meditiert und Laura zu erscheinen versucht. Vergeblich; sie war ins Kino gegangen.

Ein Brief des Herrn, der die Fremdwortgedichte verfaßt. Er bedauert, mich seinem Verleger empfohlen zu haben. Er hat sich gestern in einem »Offenen Brief« von mir distanziert. – Theophano ist in den Eßnapf gefallen; zum Glück war die Erbsensuppe schon kalt, so kam sie mit dem Schrecken davon.

Der Direktor besuchte mich heute. Ob ich nicht, fragte er suggestiv, meine Eindrücke hier literarisch festzuhalten gedächte. Ich verneinte befremdet. – Er ließ mir Papier und eine alte Remington da.
»Für alle Fälle«, wie er sich auszudrücken beliebte.

Meditiert und mich eben auf dem Weg zum Nirwana befunden, als mir mein Bruder entgegenkam. Er sah abgespannt aus. [Es scheint doch nicht so recht mit den Volksparks zu klappen.] Ob ich, fragte er müde, mir Rechenschaft darüber gegeben hätte, daß der Umstand meines Gefängnisbesuches auf einen höheren Ortes gefaßten Beschluß zurückzuführen sei. Ich: Hätte es mir beinah gedacht. Er: Und den Grund zu erfahren interessiere mich nicht? Ich: Schätzte, würde ihn noch früh genug an mir selber erfahren. Er: Nickte und löste sich im gerade vorbeiziehenden Astralleib eines in einer Ode gestorbenen Singschwanes auf.

Recht besorgt. Theophano hat sich erkältet. [Kein Wunder, es regnet seit Tagen.] Riet ihr, vorläufig in die Remington einzuziehen. – Möchte ein Regentropfklopfmenuett schreiben. Ob sie hier ein Spinett haben?

Beim Austreten jenen geistlichen Kollaborateur getroffen; er hob die Hand, um mir den Segen zu spenden. Bat ihn jedoch, sich nicht zu inkommodieren. Doch er beruhigte mich: Es habe sich nur um eine Reflexbewegung gehandelt.

Laura und die Taube begegneten mir gestern im Traum. Die Taube berichtete, da sie mich im Schlafzimmer nicht angetroffen, sei sie Laura erschienen; die sei so freundlich gewesen, sie hierher zu begleiten. Wir träumten ein Stündlein zusammen, dann trennten wir uns.

Tatsächlich: alles in diesem Gefängnis scheint Romane zu schreiben. Beim Kartoffelentkeimen heute allein sieben Kerkerautoren gesprochen. – Wenn *die* entlassen werden!

Laura hat die ersten Besprechungen der »Sterntränen« geschickt. Man stellt mich neben Erich Kästner [Kästner, Kästner . . . Kenne ich den –?], neben Hölderlin, Theodor Körner und Yeats. – Dem Wärter das Du angeboten.

Die Nacht meditiert und im siebzehnten Zustand auf Böcklins Toteninsel geweilt. Ernüchtert: Burg und Zypressen sind Leinwandattrappen. Wie man sich irren kann!

Auch das Pferd, das wegen Befehlsverweigerung sitzt, schreibt ein Buch. Wenn ich es recht verstanden habe, einen Widerstandsroman.

Theophano geht es besser. Sie wohnt in der Remington unter dem Doppelpunkt. – Mein rechter Zellennachbar ist ins Revier gebracht worden; er hat sich beim Schreiben auf die Zunge gebissen. Bitte –: Könnte einem etwas derart Verkrampftes vielleicht bei einem *heiteren* Thema passieren?

Heute morgen wurde das Schwein, das wegen provegetarischer Wühlarbeit saß, entlassen. Eine vor Wiedersehensfreude schluchzende Metzgerfamilie holte es ab; es soll zu Wurst gemacht werden.

Wundervolle Abende jetzt. Diese tränenden Mauern! Dieses zerweinte Blei auf den Dächern! Der Himmel ist wehrlos: eine regenbogenfarbene Qualle, schüttelt der Herbst ihn, mit den Wolkenfischen zusammen, im Netz hin und her. [Hätte ich doch nur meinen Stickrahmen mit!]

Theophano ist unters Semikolon gezogen; der Doppelpunkt war ihr zu schwatzhaft. Außerordentlich sensibel, die Kleine.

Ich verstehe nicht, wie ich bisher habe leben können, ohne eingesperrt gewesen zu sein; mir gelingen in dieser Enge die beglückendsten Meditationsübungen. Soeben von einem Besuch auf Bali zurück, wo ich meiner Schwester Alwine erschien. Es geht ihr gut. Nur die Friseure taugen dort nichts; ob ich ihr nicht mal eine Brennschere schicken könnte. Mußte sie bitten, sich, bis meine Haftzeit vorbei, noch ein knappes halbes Jahr zu gedulden.

Das Unausbleibliche ist geschehen. Bin diesem von Fittig, alias Matrazke, begegnet. Alles Kanarische ist abgeblät-

Und mit solch einem Bastard
mußte ich mich schlagen

WS

tert von ihm, er ist ein ganz gewöhnlicher Sperling; nicht mal aus seiner Glatze macht er hier mehr ein Hehl. [Und mit solch einem Bastard mußte ich mich schlagen!]

Theophano zog abermals [innerhalb der Remington] um; das Semikolon war ihr nicht endgültig genug. Da ihr andererseits aber der Punkt wieder zu eintönig ist, wählte sie das X zum Quartier. Diesmal scheint sie sich richtig entschieden zu haben.

Der Schimpanse, welcher die Bulldoggendelegation angeführt, schrieb. Die Inszenierung meines Stückes stehe. Premiere in vierzehn Tagen. Er hoffe zuversichtlich, daß ich bis dahin noch eingesperrt sei, denn er habe einen Prolog auf den unschuldig im Kerker schmachtenden Autor geschrieben. – Wie jetzt seine Befürchtung zerstreuen? [Versuchen, ihm im Traum zu erscheinen.]

Vergeblich; er ist Materialist.

Die Direktion hat einen Preis für das beste Kapitel aus einem [hier entstandenen] Gefängnisroman ausgesetzt; die Jury: wir alle. Gespannt, wer gewinnt.

Eben erst den wundervollen Fleck, den an der Decke das Wasserrohr machte, entdeckt. Seine Ränder sind aufgeworfen, ganz wie vom Meer unterhöhlt. Dann schickt er aber auch Ausläufer ins Steppengrau des porösen Deckenbewurfs vor; die sind am schönsten: Es gibt blaugrün-violette mit rosa Rändern, die still vor sich hindämmern, und schwarzgrüne mit kupfernen Tupfen, die sich wie saugnapfbewehrte Tintenfischfangarme immer weiter ausbreiten; bis sie eines Tages die ganze Zelle umfließen. [Vorwurf für ein Stickrahmenmuster.]

Ein Kassiber von Laura. Die Eule hat einen Literaturpreis erhalten [einen *Literatur*preis! Ich begreife das
nicht]. Sonst sei alles in Ordnung.

Die Nacht lange vor einer brennenden Kerze. Was für
ein Gleichnis! Die Seele verzehrt sich in feurigem Rausch,
und der Körper [weiß zwar und nonnig, doch dumm und
noch ohne Erfahrung], er vertropft sich in bläßlichen
Tränen, in denen die Seele schließlich, bläulich flackernd,
ertrinkt. [Mal ein Sonett drauf.]

Meditiert. Im nirwanensischen Zentrum meiner Großmutter begegnet; sie war dabei, in einem dieser neu eröffneten Volksparks das Papier von den Wegen zu harken.
Ihr Karma war jedoch derart kompakt, daß ich nicht an
sie heran kam; vermute, sie hat sich geärgert. [Sicher
hätte sie sich bei diesem strahlenden Herbstwetter lieber
über dem Ozean getummelt.]

Theophano hat das X ebenfalls überbekommen und zog
unters U. – Kann sie verstehen, unterm X hielte ich es
auch nicht lange aus; es ist zu schrill, zu gespreizt, zu
grün und gewalttätig. Mit dem U ist das ganz etwas anderes; es ist samten und blau, heimelig und traut, däm-
merig mild und schlafzimmerig dumpf; das U ist die
Mutter, die summende Kanne, die schlummernde Hum-
mel, die tumbe Wurzel zum Grund. Das X jedoch ist die
gekreuzigte Rune der Trommel, der stirnrunzelnde Jäh-
zorn, das Knacken im Spind, das Gift im Hyänengefrätz,
das Dienstrangabzeichen am Kragenspiegel der Unkennt-
lichmacher. [Theophano hatte ganz recht, ihm den Rük-
ken zu kehren.]

Oh der unsäglichen Milde, mit der hier Morgen um Morgen die alternde Sonne die Wände betastet! Sie kommt zwar nur im schmalen, streng von Eisenstreben durchkreuzten Zellengeviert, aber wieviel Besorgtsein atmet es doch, dieses langsam wandernde Altgoldquadrat. und wie widerstrebend löst es sich dann und wie ungern nur läßt es einen zurück. [Theophano geht iedesmal mit an der Mauer; sie ist zur Sonnenanbeterin geworden.]

Heute verteilte dieser von Fittig, alias Matrazke, das Essen. Folglich nur ein einziges Fettauge auf der Suppe; und das schielte auch noch.

Warum alle Welt so Angst davor hat, ins Gefängnis zu kommen: Sie scheuen die Zellengemeinschaft mit ihrem eigenen Ich. Wenn man *mich* mit einer Strafanstalt schrekken wollte, müßte die aus einem einzigen Raume bestehen, in dem man mit hundert und aber hundert Insassen zusammengepfercht wäre. Doch seltsam: gerade das schreckt die meisten fast gar nicht. Oder wie könnten sonst die Kinos, die Kirchen und die Kasernen so überfüllt sein?

Eben fand der Wettbewerb betreffs des besten Kapitels aus einem hier entstandenen Gefängnisroman statt; der Geistliche hat ihn gewonnen. [Das Pferd und mein Wärter erhielten je einen Trostpreis.] Die Lesung wurde öffentlich auf dem Hof abgehalten, jeder war stimmberechtigt; ich enthielt mich der Stimme. Merkwürdig der Maßstab, den man an diese Arbeit legte: je trostloser, desto besser. Den Vogel, wie gesagt, schoß der Geistliche ab: Nach einer exzellent geschilderten Folterszene rennt sein Held sich am Pritschenpfosten den Kopf ein.

Eine rostige Sicherheitsnadel gefunden und lange über sie meditiert. Was gibt es für denkwürdige Formen!

»Freisein ist nur im Stande der Unfreiheit möglich, denn von der Angst vor der Freiheit wird erst der Gefangene befreit«: Klingt hübsch. [Mal in ein schnell hinplätscherndes Gesprächswasser werfen und zusehen, wie es die Plauderfische, indes das Falschgeld zum Grund sinkt, bestaunen.]

Die Nacht war großer Tumult. In eine Leerzelle ist eingebrochen worden. Der Täter: ein Waschbär. Er werde, gestand er, von der Freiheit verfolgt. Er hat das Zellengitter zersägt und war gerade dabei, unter die Pritsche zu kriechen, als draußen auf dem Gang der Wärter ihn hörte. Befremdet schloß er die Zellentür auf, und der Waschbär wurde entdeckt. Was mich interessierte: Wie soll er jetzt nur bestraft werden?

Die Kinder jener übel beleumdeten Thisbe Miautzek, welcher im Keller die Mäusevertilgung obliegt, spielten mir heute einen recht peinlichen Streich. Als ich zum Essenempfang hinaus auf den Gang trat, stürzten plötzlich sämtliche neun laut: »Papa, Papa!« schreiend auf mich herzu. – Vermute, hier steckt dieser Bastard Matrazke dahinter.

Theophano hat das U wieder verlassen und ihr Domizil unterm O aufgeschlagen; sie sehne sich so nach Sonne und Sympathie; das U sei ihr am Grunde zu feucht. Tatsächlich ist ihre Erkältung auch auf einmal wie weggeblasen. – Im Zusammenhang damit etwas über das O meditiert. Es ist wahr, man muß es dem U vorziehen;

schon um seiner offenherzigen Betulichkeit willen; auch aber, weil es so licht und so keusch und weil es unschuldiger ist als das U; es ist ein Elfenbuchstabe, göttlicher Zigarrenrauchkringel, Sinnbild des Reigens eleusinischer Falter um den Substanzkegel des Seins. – Sehr auch bewegt mich, daß man des O's Anfang und Ende nicht weiß, es ist der vollkommenste Ausdruck des großen Mandala, den die Novizen Raum oder Zeit, wir Pudel jedoch Allgegenwart und Ewigkeit nennen. – Gewiß: die 8 ist ähnlich vollkommen; allein, ihre eitle Wespentaille zeigt deutlich, wie sehr sie noch am Irdischen klebt. [Obwohl doch auch sie aus dem göttlichen O kommt.] Dagegen die Null als die Mutter der 8 [oder gar des O's] zu bezeichnen, ist abwegig; die Null ist satanischen Ursprungs; sonst wäre es nicht möglich, mit ihrer Hilfe [also mit Hilfe des Nichts] aus einer Eins Zahlenreihen entstehen zu lassen, hinter denen sich ganze Kriegsheere verbergen können. [Als die neun Zahlenzeichen geschaffen, krümmte der Teufel Daumen und Zeigefinger zusammen und blies hindurch; so entstand die Null.] Das O ist älter; es wurde gleich nach dem Satz: »Es werde Licht« ausgerufen, und zwar als Ausdruck des Staunens vom Weltgeist persönlich, der überrascht war von dem, was er soeben in der Dunkelkammer entwickelt. – Fatal: Entdecke soeben, daß die Null und das O die gleiche Taste haben. – Ist die Remington nicht amerikanischen Ursprungs? Das wäre bezeichnend.

Die Eule ließ mir durch Laura ihren preisgekrönten Reformationsroman zukommen. [Dünndruck; 900 Seiten.] Riß den Schutzumschlag – ein Filmfoto – ab und heftete ihn über die Pritsche. Den Band an den Wärter. [Vielleicht eine Fettzulage dafür?]

Meditiert und mich im vierzehnten Zustand lange zwischen zwei Parallelen bewegt; gerade als ich fern ihren Schnittpunkt aufleuchten sah, platzte der Wärter mit der Margarine dazwischen.

Ein Skandal. Das ganze Gefängnis ist einem Betrüger zum Opfer gefallen. [Selbst diejenigen, welche wegen Betrugs eingesperrt wurden, sind von ihm übers Ohr gehauen worden.] Es handelt sich um den Direktor. [!] Er hat einen schwunghaften Handel mit Gefängnisroman-Urheberrechten getrieben; ja, zahlreiche Insassen hat er förmlich erpreßt, einen Gefängnisroman zu verfassen; das Pferd z. B. hätte viel lieber einen Essay über Häckselzubereitung geschrieben. – Das Ganze flog auf, als der Direktor jetzt, unter der Firmierung »Klirrende Ernte«, auch noch um eine Verlagslizenz eingekommen. – Zahllose Kerkerautoren sehen sich nun um die Frucht einer langjährigen Erfahrung geprellt. Ein Glück nur, daß nicht auch ich jener großen Versuchung: statt in mich, aus mir herauszugehen, erlegen.

Ich zittre: Von Fittig, alias Matrazke, ist vom Justizdezernat [wie es heißt:] »wegen seiner außerordentlichen Verdienste als Leiter der Tütenklebeabteilung« zum kommissarischen Direktor ernannt worden.

Nie gewußt, daß das I ein so unsachlicher Buchstabe ist. Erst seit Theophano das O, wollte sagen: die Null verlassen hat und unterm I haust, wird es mir klar. [Die Kleine fällt von einem Jungmädchengekicher ins andre.] Erwäge ernsthaft, ihr das A zu empfehlen.

Die Schikanen beginnen. Matrazke hat mich dem Latrinenscheuerkommando zuteilen lassen. Bezeichnender-

Als ob der Geist sich mitbückte!

weise besteht es nur aus Intellektuellen. Rachsucht des Ungeistigen gegenüber dem Geist. Nicht, daß jenes etwas abhaben möchte; ihm genügt die Illusion, der Geist krieche im Staub. – Als ob der Geist sich mitbückte, wenn man einen Jaucheimer aufhebt!

Wunderbare Stunden dann wieder allein in der Zelle. Es hat zum erstenmal etwas gefroren. Die Heizrohre summen; die Wände schwitzen silberne Tränen. Mögen alle Zugvögel gut ans Ziel gelangt sein!

90

Laura schickte eine Salami. Da sie ihm schlecht schien, schob sie der Wärter herein. Er hat sich jedoch geirrt: was er für Schimmel gehalten, erwies sich als geweißter Patentdarm. – Daß diese störrischen Esel – geräuchert – so liebliches Fleisch haben!

Es gibt nur noch durchsichtige Brühe zum Mittag. Das macht: Matrazke hat die Miautzek zur Küchenchefin erhoben. – Im Traum mit meinem Bruder ein Spargelgespräch.

Theophano überredet, ihr Standquartier unterm A einzurichten; sie sah schließlich selbst ein, daß es mit dem I so nicht länger mehr ging; es ist viel zu klirrig und spitz: ein pfiffiger Schilfhalm, Karikatur einer Säule, ein Stock. Wieviel seriöser, fast möchte man sagen: sakraler hingegen das A. Kein anderer Buchstabe steht so unerschütterlich da wie dieses Zelt der Vernunft, diese eherne Pyramide des Anfangs, dieses Heustadel des Geists. So vertrauenerweckend spreizt keine Schildwacht die Beine wie dieser gegürtete Chorführer des Alphabets. »Oh A: Pfeilspitze ins All, fischköpfige Silberharpune, steckend im Wolkenbauch blutender Unvernunft: Deine Wächter schlagen den Gong; im Tempel der Waage steht dein Altar, tam tata tamta, tata ta tam . . .« *So* mal was Hymnisches; dabei offne und dunkle Vokale bevorzugen.

Beim Kartoffelentkeimen heute angeregt mit dem geistlichen Kollaborateur unterhalten [jenem Bluthund, der an den Menschen geglaubt]. Nachdem der Direktor ihn um zwei Gefängnisromane und seine Memoiren geprellt hat, schwebt ihm nun eine Streitschrift gegen die Hundesteuerentrichtung vor. – Versprach, ihm mein Drama zu schicken.

Neue Besprechungen der »Sterntränen«. Man ordnet mich Ernst Jünger und Wilhelm Busch zu. Sehr interessant; nur: wer sind diese beiden?

Wundervoll unterhalten: Schneeflocken gefangen; die ersten. Ganz weiche, wattige Wesen; kristallinisch noch unentschlossen, mehr korallenhaft schwammig. [Freie Charakterbildung oder Witterungseinfluß?]

Beim Latrinensäubern fortwährend Kindheitserinnerungen. Wie es riecht, wenn die Pferde neue Eisen bekommen. [Mein Bruder, er war damals noch jung: »Als ob man Schildkröten schmort.«] Oder: Ähnlichkeit eines Eselrufs mit dem Geräusch eines quietschenden Jauchpumpenschwengels. [Alwine: »Die Eisenbahn hat eine Greisin überfahren und hält, um sie sich aus den Rädern entfernen zu lassen.«] Ach, und der Geruch des mäusedarmfarbenen Wergs erst, mit dem die Traktoristen sommers die kupfernen Ölkannen säubern! Und wie hoch und grillenzirpig die abgeernteten Felder! Wie verloren der heisere Bussardschrei im rostenden Abendlicht! –: Bild- und Geruchsburgen bauen: hilft gegen Latrinengerüche.

Dieser Matrazke triezt einen, wo er nur kann. Heute: Strohsäcke stopfen im Freien. [Es hatte gefroren.] Dazu: »Wer hat dich, du schöner Wald.« Sang Zweite Stimme. Es geht doch nichts über Eichendorff und die deutsche Romantik. [Selbst dem Wachpersonal tränten die Augen.]

Recht betrübt: Theophano hat mich verlassen. Erste Vermutung, als ich ihren Platz unterm A leerfand: sie sitzt unterm B. Irrtum; Kellerasseln scheinen sich nicht nach der Logik des Volksmunds zu richten.

»Ein Kaninchen steht vor dem Spiegel und kämmt sich. Kommt der Fuchs herein: Hör auf, ich will dich jetzt fressen. – Einen Moment, sagt das Kaninchen: bloß noch den Scheitel.« Das kann Größe sein oder Snobismus. Wahrscheinlich beides [siehe: Graf Bobby]. Und wenn es die äußerste Form von Korrektheit wäre –: was dann?

Diesem Matrazke fällt doch immer wieder was ein. Heute [es tobte ein Sturm] ließ er uns Asche streuen auf den gefrorenen Pfützen im Hof. Wie beneidenswert einfallsreich, so ein Halunke; da wäre unsereins nie drauf gekommen.

Einen Kassiber von Laura: Meine Premiere im östlichen Teile der City fand statt. Es gab einen Riesenskandal: Das Stück wurde abgesetzt. Es verherrliche, heißt es, schreibt Laura, »ein irreales Freiheitsprinzip« und sei »formalistisch«. [Was ist das?] – Die Miautzek muß krank sein: heute schwammen Fleischfasern in der Suppe.

Ja und nein: Die Ruchlose gebiert wieder einmal; das halbe Gefängnis rühmt sich der Vaterschaft. [So tief kann der Wunsch: einen vollen Eßnapf zu haben, herabziehen! Mich schaudert.]

Einen geruhsamen Nachmittag gemacht: Meditiert; dabei in Peking gewesen und meine Paläste besichtigt. Recht imposante Gemäuer; allerdings keine Fürsten mehr drin, nur ein paar Fledermäuse umschwirrten lautlos die Türme. Ihnen ans Herz gelegt, mich – besonders bei Fremdenführungen – würdevoll zu vertreten.

In Erforschung der Maserung meiner Pritsche immer neue Entdeckungen. Soeben eine Stelle, die wie ein

Scherenschnittportrait meiner Großmutter anmutet. –
Bin ganz beglückt.

Man klopft, der Geistliche wäre diesmal der Vater. –
Wankt, Kirchen, wankt!!

Heute wurde ein Rotkehlchen eingeliefert. Man hat es verhaftet, weil es nicht mit nach dem Süden geflogen. »Alles
wäre noch gut gegangen«, seufzte es, als ich es beim Austreten traf, »wenn ich nicht verdammt wäre, diesen roten
Brustlatz zu tragen.« – Die immer mit ihren Farben!

Neueste Idee von Matrazke: Er läßt uns den Flur mit
Zahnbürsten scheuern. Er beaufsichtigt selbst. Bewundre
seine Tyrannenpose dabei: Jeder Zentimeter ein Achtel
Napoleon. Wo der das her hat!

Erst jetzt fällt mir ein: der einzige Vokal, unter dem
Theophano nicht gewohnt hat, war das E. Außerordentlich sensitives Geschöpf: genau den langweiligsten aus-
zulassen; hervorragend.

Duschen. Diese Gefängnisseife hat mir die ganze Frisur
verdorben. – Oh meines geliebten Juchtenshampoos!

Mal ein Sonett auf ein Walroß, und zwar auf ein auf-
tauchendes. In der Nähe Delphine. [Dies nur im Rhythmus andeuten.] Dabei folgende Assoziationskette ver-
vollkommnen: Eisberg, blau, Sehnsucht, sinnlos, Askese,
Lebertran.

Mein Verleger schrieb. Seit ich im Gefängnis säße, ver-
kauften sich die »Sterntränen« noch einmal so gut. Ob

ich ihm nicht einen zweiten Sonettband zu übergeben gedächte. Eine Abrechnung über den ersten lag nicht bei.

Im Gefängnis sehen die Wärter doch immer am ein-
gesperrtesten aus.

Über die Stellung des Dichters in dieser Zeit meditiert.
Glühwürmchen auf der Spitze des Elefantenstoßzahns:
das ist er. [Nur, wem wird geleuchtet: dem Opfer oder
dem Zahn?]

Es gibt Individuen hier [Bulldoggen und allerlei Ba-
starde meist], die verbringen ihre Tage einzig damit, sich
»fein« zu machen: Pedantische Rasur, penible Klauen-
pflege, pomadige Scheitel usw. – Das ist, als würfe man
Kränze auf leere Särge. [Man schmückt sich doch nicht
um des Äußeren willen!]

Soeben in einer dort zum Gebrauch ausliegenden Zeitung
auf der Toilette gelesen, ich bin in den P.E.N. gewählt
worden. Was mag *das* nun schon wieder für eine Ein-
richtung sein?! Vermute, eine vegetarische Sekte mit
Freikörperkulturambitionen oder etwas dergleichen.
Jeder Wurstzipfel eine Chartaverletzung: das fehlt mir
jetzt gerade noch!

Eine niederschmetternde Entdeckung. Wollte die Remington zurückgehen lassen und machte mich an ihre
Reinigung. Wen finde ich da, wohnlich eingerichtet,
unter dem dümmsten und einfallslosesten aller Vokale,
dem E?: Theophano, meine Kellerassel! Gähnend gestand sie auch noch, sich unter keinem andern Vokal so
wohl gefühlt zu haben wie jetzt unter diesem. Unter dem

E!! Diesem hölzernen Laubrechen, dieser blechernen Futterkrippe, diesem arroganten, rostig phosphoreszierenden Oberlehrersymbol! Bin entsetzt.

Aus meinem Brot allerlei Männerchen. Jetzt schmeckt es doch gleich noch einmal so gut!

Neueste Idee von Matrazke: Er läßt uns die Inschriften und Zeichnungen an den Zellenwänden abkratzen. Werkzeuge gibt es nicht; entweder den Löffel oder die Krallen. Aufregende Entdeckungen bei dieser Beschäftigung; war noch nie auf die Idee gekommen, die Wände auf ihre Spruchweisheiten hin zu überprüfen:

»Die Freiheit ist ein Faß,
in das man Wasser füllt;
zuerst macht's dir noch Spaß,
zuletzt wirst du gekillt.«
[Derartiges kratz ich nicht eher ab, bis ich es auswendig kann.]

Es hat geschneit: Der Gefängnishof und die Dächer der Schweren Abteilung prangen im Schneeweiß der Unschuld. – Fragen, ob gestattet, einen Schneemann zu bauen.

Die Suppe ist abermals dünner geworden. Das macht: nun essen auch die Kinder des zweiten Wurfs unserer Küchenvorsteherin mit. – Kann noch immer nicht fassen, daß ihr Vater der Geistliche sein soll. Schön, er sei zwar, sagt er, drauf und dran, mit der Kirche zu brechen; aber bis dahin, finde ich, hätte er sich schon noch einer gewissen Enthaltsamkeit befleißigen können. [Das Kind im Schoße der Mutter wartet, sie zu betrügen, ja auch, bis es entwöhnt ist.]

Laura, die Gute, schickte eine Salami; da sie in keinem dieser geweißten Patentdärme steckte, behielt der Wärter sie ein. Er gab mir jedoch ein Scheibchen zum Kosten; sie hätte vorzüglich geschmeckt.

Etwas Denkwürdiges ist geschehen. Eine Kommission hat uns verhört; siebzehn Insassen wurden verhaftet, alles Beschäftigte in der Tütenklebeabteilung, die bislang dieser Matrazke geleitet; man hat dort Falschgeld gefunden.

Tatsächlich: alle Verhafteten bekannten sich schuldig. – Matrazke seines Postens als kommissarischer Direktor enthoben. – Es ist wieder Fleisch in der Suppe; anscheinend hat nun auch die Stunde dieser Thisbe Miautzek geschlagen. – Nicht dem Trugschluß verfallen: nicht mal im Gefängnis vermöge sich das Böse auf die Dauer zu halten!

LANGE ÜBER DAS VORGEFALLENE MEDITIERT. – WAS einen so festhält auf dieser Welt [obwohl sie sichtlich nur einer der Dutzend Vorentwürfe für eine um vieles vollkommenere ist]: Daß das Böse so mächtig in ihr; ständig will man was ändern. Und wie wichtig, wie unersetzlich dünkt man sich dadurch! Und was ändert man? –: Nichts. Wie könnte man auch; das Böse hat seine Aufenthaltsgenehmigung vom Weltgeist erhalten, keine irdische Instanz kann sie ihm absprechen. Was aber bleibt nach dieser Erkenntnis von jenem Gefühl hochmoralischer Existenzberechtigung übrig? –: Ebenfalls nichts. Also muß man sich nach einer anderen Existenzberechtigung umsehen, eine moralische gibt es nicht. Es sei denn, man hat das Glück, ein Pferd oder ein Pudel zu sein, und darf als solche seine Existenzberechtigung darin erblicken, ein Beispiel der Milde und Abgeklärtheit zu geben; zu schweigen vom Auftrag, der da lautet: bescheidene Leuchtboje zu sein im Meere des Wahns.

Matrazke ist eingesperrt worden, die Miautzek desgleichen; sehe einer Reihe höchlichst geruhsamer Wochen entgegen.

Meditationsübungen: Solange einen Deckenfleck in sich hineindenken, bis man einer geworden und sich ganz feucht und schimmlig fühlt.

Oder: Geräusche auf assoziativem Wege in [kongruente] Gerüche verwandeln. Zum Beispiel: Eimergriffklappern auf dem Gang draußen: Warmer Kuhdung, muffiges Stroh. [Assoziationsweg: Spüleimer, Melkeimer, Kuhstall.] Oder: Teppichklopfen von einem der Nachbarhöfe herüber: Ölige Sprödheit des Hanfschnurgeruchs. [Assoziationsweg: Hinterhof, Kinder, Trieselspiel, Peitschenschnur.] Oder: Das Schlüsselbund rasselt: Schlafzimmerdumpfheit. [Assoziationsweg: Schlüssel, Kindheit, Vater kommt abends nach Hause.] Usw.

Das Gefängnis hat einen neuen Direktor bekommen; eben kam er herein und stellte sich vor: Ein Orang-Utan mit vierzigjähriger Fürsorgeerfahrung; leidgeprüftes Gesicht, beschlagener Zwicker. Nicht »wir« [dieser

Ein Orang-Utan mit vierzigjähriger Fürsorgeerfahrung

Plural befremdet], sondern die uns verurteilt, verdienten,
führte er aus, in diesen Zellen zu schmachten. Er hat im
Hause bereits eine zahlreiche Anhängerschaft.

Beglückende Konfrontation mit dem Weltgeist. War soeben [meditierend] in den zweiten Mandala des neunzehnten Zustands gelangt, als ich eine silberbeschlagene Sänfte sich aus meinem Gefühlsnebel lösen sah; sie wurde von müden Gibbonaffen getragen, welche sich Kranichmasken vor die Gesichter gebunden. Sie hießen mich einsteigen; doch kaum war die Türe verschlossen, ging die gegenüberliegende auf, ich stieg aus und befand mich in einer kahlen, lediglich mit japanischen Tuschzeichnungen ausgestatteten Empfangshalle. Diese durchschritt ich, eine Flügelpforte schwang auf, und ich befand mich einem enorm beleibten, aber ungemein milde dreinblickenden asiatischen Herrn undefinierbaren Alters gegenüber, welcher, mit nichts als einem beängstigend knappen Bastschurz bekleidet, pfeifend dabei war, aus einem schwarzen Seidenpapierbogen Blumen- und Libellensilhouetten zu schneiden. [An dem hyazinthenen Karma, das ihn umgab, erkannte ich ihn sofort.] Er bat mich, ihm einige Blumenentwürfe vorzuschlagen; wir schnitten sie aus, begutachteten sie schweigend und nahmen zusammen den Tee. Dann war ich entlassen.

[Dies mit einem rostigen Nagel ins Papier gestochen; habe meinen Bleistift verloren.] Laura schickte mehrere Gazetten aus dem westlichen Teile der City. Es tobt eine Pressekampagne um mich: Man habe, indem man mich eingesperrt, ein Verbrechen begangen. Nichts weise mein Stück eindeutiger aus als »Das trojanische Pferd des Abendlands« aus, als die Tatsache, daß es im östlichen Teile der City abgesetzt worden. Ich sei der Sänger der symbolistisch getarnten Aktion, ein Dynamiter der Lyrik, ein humanistisches Freiheitsfanal; meine Verurteilung sei ein Rostfleck im Rechtsgefüge, entweder ich würde umgehend entlassen, oder man werde Wege finden, mich zu befreien. – Vermute, das Ganze ist nichts als ein Propagandatrick meines Verlegers.

Mein Bruder hat mir im Traum meinen Bleistift gebracht; einen Gruß vom Weltgeist, ich hätte ihn bei ihm liegenlassen. Entsinne mich jetzt: ich hatte ihn zum Aufzeichnen der Blumenmuster gebraucht.

Selten so im Vollbesitz meiner geistigen Kräfte wie jetzt. Diese Haft bringt einen wunderbar weiter.

Erste Neuerung des neuen Direktors: Alle Politischen erhalten Lautsprecher; sie werden vom Büro aus bedient [allerdings nur bei Nachrichten und Kommentaren]. Wir Kulturellen sollen keine erhalten; die Kriminellen ebenfalls keine, doch müssen sie sich jeden Sonntag in Gemeinschaftsempfang den Kinderfunk anhören. [Was für ein Glück, bloß Kultureller zu sein!]

Erst jetzt sickert durch: Matrazke und die Miautzek sind flüchtig. [Letztere unter Zurücklassung ihrer sämtlichen Kinder; Matrazke dafür mit Säcken voll Falschgeld.] Niemand begreift das. – Versucht [im Zusammenhang damit], über den Wert der Freiheit zu meditieren. Vergeblich: entweder sie hat keinen, oder man kommt ihm nicht bei.

Kindheitserinnerungen: Nachts; es knackte im Kleiderschrank. Mein Bruder und ich [zitternd]: »Wer ist da?« Antwort: »Das Knacken.« Erst Wochen darauf gestand Alwine, daß sie es gewesen. Oder: Wir gingen spazieren; strahlende Sonne. Plötzlich ein Schrei, mein Bruder sank

hin. Die Erklärung: Ein Auto war ihm über den Schatten gefahren.

Auf dem Hof heute eine Ratte, die einen Igel mit »Intellektueller« beschimpfte. Hat mich nachdenklich gestimmt. *Noch* nachdenklicher aber hat mich gemacht, daß der Igel, bis dahin die Ruhe selbst, der Ratte nach diesem Wort an den Hals ging. Ich frage mich jetzt: War er nun ein Intellektueller, der sich geärgert hat, daß man dieses Wort als Beschimpfung gebrauchte? Oder war er keiner und hat das Wort ebenfalls als Beschimpfung empfunden? Oder wünschte er sich nur, einer zu sein, und ärgerte sich darüber, daß die Ratte erkannt hatte, daß er gar keiner war? Möchte das Letztere annehmen.

Eine Ratte, die einen Igel mit »Intellektueller« beschimpfte

Etwas Furchtbares ist geschehen. Man hat [gerichtlich auch noch!] gegen meine Verurteilung Einspruch erhoben. Sie wollen, man soll mich entlassen. – *Jetzt!* Bin verzweifelt.

Ein winziger Hoffnungsschimmer: Der Kulturreferent sträubt sich. Hätte ich mich ihm doch nur noch verhaßter gemacht!

Vorbei. Der Kulturreferent hat erklärt, einer Denunziation zum Opfer gefallen zu sein.

Es gibt keinen Ausweg: Ich werde entlassen. – Wer mag mir jetzt *das* wieder eingebrockt haben!?

Es ist soweit. Eben mein Halsband zurückerhalten. Darf mich frei im Gefängnis bewegen. [Werde jedoch vorläufig keinen Gebrauch davon machen.]

Unerhört. Läßt mir dieser Direktor doch mitteilen, wenn ich nicht freiwillig ginge, sähe er sich zu einer Bestrafung gezwungen. – Und *das* will ein Fürsorger sein!

Ich gehe. Letzte Nacht schlief ich noch hier. Aber seit man meine Zellentür nicht mehr abschließt, ist das alte Gefühl der Geborgenheit hin.

Noch einmal zurück und Theophano gefragt, ob sie mitkommen möchte. [Laura würde sich bestimmt ihrer annehmen.] Doch Theophano will nicht; sie sei in diesen Mauern geboren und sie habe auch vor, in ihnen zu sterben. Bat sie, falls die Remington noch in der Zelle verbliebe, doch wenigstens unter das Komma zu ziehen, das doch immerhin eine gewisse Atempause verhieße. Sie versprach, es in Erwägung zu ziehen.

WIEDER – FAST HÄTTE ICH: »ZU HAUSE« GESCHRIEBEN. Aber wo *ist* man zu Hause? Oh des Gefühls, als ich neben dem Weltgeist gesessen und jene Blumenmuster entwarf! Dort *war* ich's.

Also: ich bin wieder – hier. Soeben schickte die Eule nach mir und lud mich ein, mich über den Stand ihres neuesten Reformationsromans zu orientieren. Nebenan zieht Laura trällernd den Staubsauger über den Teppich, und vom Hof dringt das dumpfe, halb erstickte Geräusch, das die Schneeschipper erzeugen, herauf. Kurz: es ist alles wie immer. Wie lange war ich fort? Wochen? Monate? Jahre? – Die Zeit betrügt einen, wo sie nur kann; am besten, man ignoriert sie.

Post, Post, Post. Anfragen, Gratulationen, Einladungen, Erklärungen. Mein Verleger will einen Gefängnisroman haben. Der Kulturreferent will einen Pressetee geben. Der Vorstand des »Bundes zur Aneignung kulturellen Erbes« distanziert sich von mir. Der Herr, welcher die Fremdwortgedichte macht, distanziert sich davon, daß er sich distanziert hat. Der Vorstand des »Trutzverbandes verwaister Autoren« will, ich soll mich vom »Bund zur Aneignung kulturellen Erbes« distanzieren. Junge Mädchen bitten um Locken, Knaben um Bildpostkarten mit Autogrammen, Jünglinge schicken Freiheitsdramen, ältere Damen Pralinen und unveröffentlichte Bekenntnisromane, Rentner möchten unter meinem Banner marschieren; und ein Huhn gar [vermögend, schuldlos geschieden] will meine Frau werden. – Ich möchte verreisen.

Auch die Dobermännin meldet sich wieder. Am Freitag gebe sie [mir zu Ehren] ein Essen; es seien vornehmlich Vertreter der Hochfinanz da, was mir Zugang zu den exquisitesten Häusern verschaffe. – Geantwortet: dieser Zugang verbaue mir den zu mir selber.

Mein Bruder erschien mir im Traum. Beklagte mich bei ihm über die Aufdringlichkeit dieser Welt. Er versprach, Abhilfe zu schaffen.

Schneesturm. – Mein Bruder hat Wort gehalten: Ein Baum ist auf die Leitung gefallen und riß die Telefondrähte entzwei. – Wir sind meterhoch eingeschneit; da kommt kein Postbote durch. Erstmalig wieder mit Laura am Spinett. Wir spielten [und sangen]: »Du bist die Ruh«. – Vermisse die Nietzschebüste.

Noch nie sah das Telefon bösartiger aus als jetzt, wo niemand mehr anrufen kann. [Verwandtschaft mit einer Höllenmaschine.] Unmöglichkeit des Gedankens, der Weltgeist könne an der Konstruktion des Telefons mit beteiligt gewesen sein. Beweis: Der Bedeutungswandel des Begriffs »Anruf«. Früher erhielt man einen Anruf aus dem Jenseits, und er war göttlichen Ursprungs, heute erhält man ihn vom Finanzamt, und der Vollstreckungsbeamte ist dran.

Da fällt mir ein: Den Nietzsche hat der Herr von der Steuer; ich schenkte ihn ihm an jenem Duelltag. – Gelegentlich anrufen und ihn wiedererbitten.

Es sonettelt. Jedoch noch bezähmt. Statt dessen: im Hof einen Schneemann. [Was hatte ich mich danach gesehnt!] – Dumm, er ist für den Eisschrank zu groß; nun wird er wohl kaum den Sommer erleben.

Mal ein Krähensonett. Dabei die Bezeichnungen »Ausradierter Himmel«, »Parzenparagraphen« und »Höllenrunen« verwenden. [Ggf. auch: »Degradierte Wolkenkammzinke« für den Schlafbaum der Krähen.] Flatternde Rhythmen!

Nicht zu fassen. Hat doch die Eule – auch noch [wie sie sich ausdrückt], um mir »einen Gefallen« zu tun – ihre ganze Handtasche voll – Post [!] mitgebracht!! Ich war derart außer mir, daß sie sie [natürlich aufs tiefste beleidigt] umgehend zurückbrachte.

Mit Laura erstmalig wieder das Blühsegelspiel. Wir haben es mit Eichelhütchen gespielt, in denen wir Wattebäuschchen befestigten. Da jeder den anderen gewinnen lassen wollte, endete es unentschieden.

Soeben das Buch eines ältlichen Jünglings, der auf der Umschlagklappe ein Genie genannt wird, gelesen. Er stenographiert statt zu schreiben. Und weil er nicht die Kraft zur Distanz hat, schiebt er seiner Fabel die Krücke der Tagebuchform unter die Achsel. »Ich«, das heißt hier wieder einmal: »Daß ihr mir auch ja glaubt, ich war dabei!« Mißtrauen in die eigene Überzeugungskraft. Da wird die Sprache ganz feldwebelig vor Krampf und eingebildetem Zorn. Wie sicher und zivilistisch behäbig dagegen die Schulmeisterlein-Wuz- und Taugenichts-Väter! – Sie sehen heute nicht mehr aus dem Fenster beim Schreiben; vielleicht liegt es daran. Immer nur in sich hineinstarren: da *muß* man ja wütend werden allmählich. [Es sei denn, man hat das Glück, ein Pferd oder ein Pudel zu sein.]

Liege zu Bett: Am Stickrahmen in den Daumen gestochen. Laura, die Gute, wacht mir zu Häupten.

Im Traum meinen Ballon; er hatte Haare bekommen und ein Affengesicht. – Hoffe, das macht nur der Winter.

Fieber. – Dauernd Kindheitsgeräusche im Ohr. Daraus mein Lieblingsspiel. Linkes Ohr: das Geräusch, rechtes Ohr [aus dem Gedächtnis]: Kommentar meiner Geschwister. Zum Beispiel: Sensendengeln. Alwine: »Er haut den Hasen die Ohren ab, wenn er mäht.« Oder: Lokomotivpfiffe nachts. Mein Bruder: »Das Himmelsschiff gröhlt.« Oder: Muschel am Ohr. Alwine: »Es regnet Blut.« Oder: Müllkastendeckel klappt zu. Mein Bruder: »Jetzt haben sie den Lumpensammler geköpft.« Oder: Kranichschrei. Alle beide: »Die Weltachse ist nicht geölt.« Usw.

Das Fieber steigt. Ich bin angefüllt mit blauen Kristallen, die aus meinem Inneren einen Eispalast machen. – Laura [am Bettrand] erscheint mir streckenweise als häkelnder Gletscherfloh.

Das Fieber steigt weiter. Mein Kopf ist ein Felsen; ich höre das Moos wachsen und Rentierhufe über mich hin tappen. Thundra-dra-dum, Thundra-dra-dum, summt's in den Schläfen. [Und im Ohr pfeift ein Lemming.]

Laura erzählte eben, ich hätte den Arzt mit »Majestät« angesprochen und ihn gebeten, mir eine Briefmarke mit seinem Konterfei zu verehren. Er habe jedoch nichts feststellen können. – Vermute, der Nadelstich hat meine Seele verletzt. Wenn sie im Weltall wohnt, warum soll sie dann nicht auch in der Daumenspitze beheimatet sein?

Appetit auf Bambuskeime.

Im Fieber: eine Krähe am Bett; brillig, besorgt. Fieberfrei: immer noch eine Krähe am Bett. – Laura gestand, das sei der Arzt.

Es geht als Ebbe und kommt als Flut. Ich liege zwischen Seesternen und Tang; am Himmel, sehr hoch, ein Albatros, Geige spielend. Die Töne fallen als brennende Pfeile

herab; sie bohren sich rings in den Sand, so daß eine kral-
artige Wand rings um mich entsteht. Sie erhebt sich so
dicht vor den Augen, daß ich nicht mal das Lid senken
kann: die Netzhaut brennt. – Dann kommt die Flut: rot,
mit gelbgrünen Kämmen, rollt sie über mich weg, hebt
sie mich auf, trägt sie mich fort, weg, sternhimmelweit. –
Ich fahre Achterbahn im Ozean meines Blutes.

Krähendoktor und Häkellaura –: das verschwimmt zu
einer rabenschnäbligen Pekinesinnenparze, die mir mit
ihren Nadeln ins Fleisch sticht, um zu sehen, ob ich noch
lebe. Aber ich lebe noch, ich liege auf dem Floß meines
Bettes und gleite fiebernd über die Stromschnellen der
Ungeduld hinweg, an Pagoden vorbei, vorbei an trinken-
den Tigern, unter Mangrovenwurzeln dahin, begleitet
von Schwärmen türkisblauer Kolibris. Jetzt taucht ein
Krokodilswiderrist aus der Flut, nun der leuchtende
Bauch einer Seekuh, und dort, auf der tiefsten der Stufen
des siebenpagodigen Tempels, dort sitzt er: nackt, glän-
zend, unermeßlich dick und mit lianig gebogenem
Schnurrbart: der Weltgeist; bindet zwei Kampfhähnen
die Messerchen fest an der Ferse, bläst ihnen Zorn ein
und wendet sich, indes die beiden mit gesträubten Hals-
krausen aufeinander losgehen, seinen Fußnägeln zu, die
er mit silberner Tusche bemalt. – Sacht treibt mein Floß
jetzt vorbei, Schilfwände trennen uns, nur das blaue
Licht Seines Nabels schimmert noch sanft durch die
Halme, dann löscht auch das aus; es ist dunkel und
dumpfig, Augenpaare phosphoreszieren im Uferdickicht,
Fledermausschwingen berühren die Flut, Signaltrom-
meln ertönen, mein Pulsschlag gibt Antwort, ich lausche,
ich richte mich auf: Dort ist das Fenster, Schnee wirbelt
vorbei, am Bettrand sitzt Laura und häkelt.

Im Traum heute kopfunter über ein Kohlfeld geschwebt

Der Arzt heute: Er könne nichts tun als mir noch mal dasselbe zu geben. [Ein Pulver.] Darauf Laura: »Besteht Hoffnung, Herr Doktor, daß er *trotz* des Pulvers gesund wird?« – Die Gute. Trüge sie nicht diese frischgestärkte Schleife im Haar, sie wäre kaum noch zu sehen vor Kummer.

Die Eule hat sich erboten, aus ihrem neuen Reformationsroman vorzulesen. Da ich gerade eine schlaflose Nacht hinter mir hatte, ließ ich es zu. Und wirklich, kaum fing sie an, ward ich von einer wundervollen Müdigkeit überschwemmt und nicht lange, und ich glitt im Traumnachen davon. Zum Glück war ich ernst eingeschlafen [nicht, wie es sonst meine Art: heiter]. So hielt die Eule, was Mattigkeit war, für Konzentration und versprach bald wiederzukommen. [Vielleicht hätte man *doch* lieber heiter einschlafen sollen?]

Im Traum heute kopfunter über ein Kohlfeld geschwebt. Unangenehmes Gefühl dabei, das Kleingeld in der Hosentasche betreffend; es blieb jedoch drin.

Das Fieber klingt ab. Erstmalig wieder gelesen. Rilke [Laura hatte mir den »Malte« empfohlen] und meinen geliebten Graf Bobby. – Bobbys Adel ist echter.

Mich als Seehund auf einem Felsen gesehen. Vom Himmel hernieder hing eine umkränzte Harpune. Fern zog ein weißer Vergnügungsdampfer vorüber, man hörte die Bordkapelle, die die »Eroica« spielte. Um meinen Felsen trieben die Überreste eines Klaviers, ein Sintenis-Pferdchen, zwei Billetts für einen Damenringkampf, sowie eine Dürer-Postkarte, den Hasen darstellend. Merkwürdigkeit des Gefühls um die Herzgegend dabei: als glitte ein Gurkenhobel darüber hinweg.

Die sinkende Fieberflut läßt die Sandbank des Alltags wieder erscheinen: Der Strand ist leer, wenn die Fische nicht sterben wollen. Ich tripple als Regenpfeifer über die Watten und halte nach Seesternen Ausschau; aber die Seesterne stehen am Himmel, und die Sterne sind ins Wasser gefallen; was nun? Lange überlegt, womit die Leere im Innern zu füllen. Entschlossen, mit *mir*.

Erstmalig: Ein sanftes Kalbsschnitzel goutiert. Halma mit Laura. [Ließ sie, um mich erkenntlich zu zeigen, gewinnen.] – Beobachtung: In den Sprungfedern meines Bettes wohnt ein Harfenton.

Aus dem Fenster gesehen. Der Schneemann steht noch; die Sänftenträger vertreiben sich die Tage mit Schlittern.

Krähen am Himmel; das Wetter ist breughelsch, es lädt zum Sprichworthersagen und Backblechabkratzen ein.

Erstmalig auf; so muß sich Mozart nach der Beendigung des Don Giovanni gefühlt haben: durchscheinend leer und doch auf köstliche Weise beschwingt. Mir ist nach Taubenflügeln und Ballettrock zumut.

Wieder im Bett. Am Spinett überraschte mich ein Schwindelanfall, ich stürzte und riß das Spitzendeckchen mit der Beethovenbüste zu Boden; letztere weist einen Sprung auf.

Gestern, sagt Laura soeben, war Weihnachten. Das hätte man also auch hinter sich. Nicht, daß ich etwas gegen diesen Tag hätte, ich habe nur etwas dagegen, daß man ihn feiert. Gedenkfeste setzen Vergessen voraus: man will sich gewaltsam besinnen. Doch wozu, wenn ich friedfertig bin, mich der Friedfertigkeit extra erinnern? Feiere ich, daß ich atme? –: Ich atme.

Den Graf Bobby zu Ende gelesen. Immer wieder erschüttert von der erhabenen Kindlichkeit seines Gemüts. Und dieser gläubige Starrsinn, mit dem er sich weigert, dem Realitätsgötzen Tribut zu entrichten, göttlich! *Das* wäre eine Dramenfigur nach meinem Geschmack.

Einige Schritte im Zimmer, von Laura gestützt. Säße mir die Kraft meines Geists in den Füßen, ich stapfte wie ein Freistilringer dahin.

Ochsenmarkpastete und Spargelköpfe; Rotwein mit Ei: Mein Irdisches erwägt seine Teilnahme.

GESUNDET. – STREIT MIT DEM VERWALTER; DER BANAUSE hat meinen Schneemann entfernt.

Gräßlich. Das Telefon geht wieder. Kaum hatte einer der Telegrafenarbeiter mir diese Hiobsbotschaft gemeldet, rief der Kulturreferent an. Was ich mir dächte, ihn einfach so aufsitzen zu lassen. – Ich brauchte etliche Zeit, ehe mir einfiel: es handelt sich um den für heute anberaumten Presseempfang. – Bat, die Versammelten herzlich zu grüßen und – Das Telefon läutet.

Vorbei; habe es aus dem Fenster geworfen. – Nun noch die Post unschädlich machen.

Oh des köstlich knirschenden Harschs jetzt! Räumt man den Pulverschnee unter ihm weg, ergeben sich Tunnel mit gläsernen Decken. Laura, die illustriertenverseuchte, sagte, das erinnre sie an die U-Bahn in Moskau. – Diese Pekinesinnen werden es doch nie zu einer assoziationsfreien Spielleistung bringen.

Erstmalig wieder im Park. Allerlei Hieroglyphen im Schnee. Zwischen vier Mäusefußtapfen immer ein Wischer: das war der Schwanz. Und Krähen; der ganze Himmel gehört ihnen. Man wundert sich nur, daß sie auf dieser Wolkentischdecke keine Flecke zurücklassen. Tintenkleckse zum Beispiel.

Ein Fuchs hat mich heute besucht. Einst war er Turnlehrer; doch seit er in ein Eisen getreten, beschäftige er sich mit Lyrik. Kurz: es war mein Verleger. Ich überwand meine Verblüffung zu spät; als er fortging, hatte er sowohl den »Weltentau«-Zyklus als auch die »De-pro-

Kurz: es war mein Verleger

fundis«-Sonette im Sack. Außerdem hat er der Presse eine
Notiz übergeben, ich säße an einem Gefängnisroman. –
Ich!!

Fluch dem Städtischen Schneeschippkommando: Der
Postbote war hier; er hinterließ ein Gebirge von Briefen.
Ich lese keinen. Doch ich wehre mich so: Alle Absender

erhalten ein Kärtchen; Text: »Dank für Ihren freundlichen Brief, der leider nicht ankam.« – Laura hat bereits hundertundneunzehn geschrieben.

Die Eule hat mir gekündigt. Sie wollte mich mit einem neuen Reformationsroman bekannt machen; da verlor ich die Nerven und knurrte sie an. – Laura berichtet soeben, sie packe.

Bei der Eule gewesen und mich entschuldigt. Umsonst; sie sei aufs tiefste verletzt. – Jerum, jerum, und wie nun das Söllerzimmer vermieten?

Laura hat zwar sämtliche Briefe vernichtet, doch alle gelesen. [Ich kenne keinen.] Daraus ein Rätselspiel. Laura: »Wer hat dich in seinem Aufsatz ›Surrealismus und Klassenbewußtsein‹ erwähnt?« Ich: »Ein Sekundaner?« Laura: »Falsch.« Ich: »Der Herr, welcher die Fremdwortgedichte verfaßt?« Laura: »Richtig.« [Ergebnis: Ein Punkt für Laura, ein halber für mich.] Oder: Laura: »Wer bezichtigt dich des Renegatentums?« Ich: »Der Vorstand des ›Bundes zur Aneignung kulturellen Erbes‹?« Laura: »Richtig.« [Ergebnis: Ein Punkt für mich.] Oder: Laura: »Wer bedauert, mit dir zusammengearbeitet zu haben?« Ich: »Mein Verleger?« Laura: »Falsch.« Ich: »Der Kulturreferent?« Laura: »Falsch.« Ich: »Der Schimpanse, der mein Stück inszenierte?« Laura: »Richtig.« [Ergebnis: Null Punkte für mich, ein Punkt für Laura.] Usw. – Viel Freude daran.

Mein Mäzen hat den Stoff meines Dramas zur Verfilmung empfohlen. Wenn ihn jetzt bloß kein Hiesiger kauft!

Schon geschehen; die Heidschnucken-Allianz hat ihn erworben; sie möchte, teilte ihr Pressechef mit, etwas Avantgardistisches daraus machen.

Nachricht aus Peking: Ich müsse den Goldfischweiher vor Palast Fünf neu besetzen; Besucher hätten sich die Fische an Ort und Stelle in die Pfanne gehauen. Wäre es da nicht sinnvoller, *gleich* eine Fischbratküche zu eröffnen? [Mal mit meinem Bruder besprechen.]

Nachts. Schreie im Park; wir stürzten hinaus: Eine Meise war von ihrem Schlaf-Ast gefallen. Sie habe, erzählte sie zitternd, vom Waldkauz geträumt. Wir boten ihr Tee und etwas Gebäck; sie schlief auf der Beethovenbüste.

Besuch eines Pferds; es betreibt eine Leihbücherei. Ob ich nicht aus den »Sterntränen« vorlesen möchte. Da die Zuhörerschaft nur aus Pferden bestehen soll, sagte ich zu.

Eben den Titel des Films erfahren, der nach meinem Drama gedreht werden soll: »Das Haus hinterm Hünengrab«. Die Rolle des Weltgeists wurde in die eines erblindeten Oberförsters geändert.

Eiszapfenwettlutschen mit Laura. – Laura gewann. [Ihre Zunge ist länger.]

Über den Zwang meditiert. [Laura: »Ich brauche den Zwang meiner täglichen Pflichten.«] Das ist es ja, wogegen wir Pudel uns wenden: Der Zwang muß – [Das ist auch schon wieder ein Zwangwort; also:] Der Zwang wird unschädlich gemacht durch das Spiel. Hierzu Notwendigkeit der Erkenntnis: Spiel ist die verbindlichste

Form mitagierender Anteilnahme. Denn: heiter zu sein bedingt Konzentration; Konzentration auf die einzige Spielregel mit dem Anspruch auf Allgemeingültigkeit, nämlich: *ohne* Regel zu spielen, nur dem Impuls nach die Steine zu setzen. Was verleiht denn dem Weltgeist die Unantastbarkeit seiner Würde? Einzig die Grazie seines Impulses. Stets aufs neue überrascht zu sein von dem, was seine Laune hervorbringt: dies ist die Wurzel seiner Unsterblichkeit. – [Nur allwissende Götter sterben am Gähnkrampf; der Weltgeist weiß *nichts*.]

»Zufall«, das ist: der Spielraum, den der Weltgeist seinem Unterbewußtsein gestattet.

Stets wieder entzückt von der zärtlichen Milde einer wirklich fachmännisch bereiteten Bratwurst [eins rauf mit Mappe, der Koch]. – Schneit es? Nein: Laura Holle schüttelt das Oberbett aus.

Meine Leihbücherei-Lesung fand statt. Tatsächlich: alles Pferde. Selten mich mit einer Zuhörerschaft derart in Einklang befunden. Wir weinten gemeinsam; anschließend eine Resolution an den Weltgeist.

Silvester. *Auch* wieder so ein Tag für die Dummen: freuen sich, daß ein Jahr herum ist! Wissen sie denn, wie viele noch kommen? Nichts wissen sie. [Aber: schreien.] Konsequent zu Ende geführt diesen Brauch, hieße das: auf dem Sterbebett in ein Freudengeheul ausbrechen. Wer tut das?

Heute geht »Das Haus hinterm Hünengrab« ins Atelier. Die Rolle der Taube wurde in die einer Imkertochter geändert.

Auf dem Sterbebett in ein Freudengeheul ausbrechen. Wer tut das?

Beim Spinettspiel von einem Kurier des Kulturreferenten gestört worden. Der Kulturreferent verlangt [!] Aufklärung, warum ich ihn mit den Journalisten kürzlich sitzengelassen. Schrieb auf ein Kärtchen: »Vergessen«. Der Kurier versprach, es ihm noch heute zu geben. Ich: Er könne sich Zeit nehmen.

Ein Sonett, das ich auf eine Eintagsfliege geschrieben, verwandelte sich unversehens in ein Prosafragment von siebenundvierzig [engbeschriebenen] Seiten; ich staune.

Gräßlich. Das Wohnungsamt hat Kunde betreffs des Söllerzimmers erhalten; es scheint mir eine Vertriebenenfamilie hineinsetzen zu wollen. Gewisse Scheu vor dieser harten Konfrontation. Weniger aus Sorge, meine Ruhe könne gestört werden als davor, die Soziale Frage gestellt zu bekommen. – [Mein Mitleid ist metaphysisch, Begrenzung aufs Greifbare lähmt ihm die Schwingen.]

Verwechslung der Funktion eines Dichters mit der des Büroboten eines Sozialamts: Grund, weshalb Romane heute so phantasielos.

Lange auf dem Goldfischweiher geschlittert. Kindheitserinnerungen dabei: Wir hatten einen Karpfen gestohlen, dem wir die Freiheit zurückgeben wollten. Wir hatten jedoch vergessen, daß der See eine Eisdecke trug. Alwine mußte den Karpfen solange halten, mein Bruder und ich rannten weg, ein Beil zu besorgen. Als wir zurückkamen, schlitterte Alwine; der Karpfen lag auf dem Eis; er war festgefroren inzwischen.

[Oder das Geräusch, wenn man einen Stein übers Eis wirft: Soviel zuckender Frühling ist nicht mal im Dohlenruf.]

Befremdet. Jenes Eintagsfliegen-Prosafragment nimmt die Ausmaße eines – Romans [!!!] an. Und was das Beunruhigendste ist: es spielt auch noch in einem Gefängnis; das heißt unter einer gazenen Käseglocke, wohin meine Heldin durch eine Laune des Schicksals verschlagen. Ich nenne das Ganze: »Finde doch endlich Frieden mit Dir! Tagebuch einer Eintagsfliege«. [*Wenn* schon Epik, dann tröstliche.]

Konsterniert. Man hat eingebrochen. Der Sekretär ist durchwühlt, die Beethovenbüste weist am Hinterkopf ein mit dem Meißel gestemmtes [gut handgroßes] Loch auf, und dem Spinett gar ist man mit etwas Axtähnlichem zu Leibe gegangen. Selbst das Parkett hat man aufgerissen.

Laura ist der Meinung, das sei die Eule gewesen; sie wolle sich für die Beleidigung rächen; wenn das mit den Reformationsromanen nicht überhaupt eine Tarnung gewesen, und die Eule in Wirklichkeit ein berüchtigter Einbrecher sei. – Mal Lauras Boudoir inspizieren; das klingt nach Illustriertenroman.

Der Kriminalrat gesteht, vor einem Rätsel zu stehen. Er mutmaßt, der Dieb hat die Fassade erklettert oder: er kam durch die Luft. – Ich vermisse nichts. [Kein Wunder; wer die sozialen Rangunterschiede zur Kenntnis genommen, der trägt sein Geld auf die Bank.] Im Gegensatz zum Kriminalrat jedoch Spuren gefunden: Ein Büschel Katzenhaar und – dank Lauras Staubsaugetechnik –: auf dem Fensterbord einen Vogelfußabdruck in, sagen wir, Sperlingsformat.

Der Kriminalrat rät, ich soll den Verwalter entlassen; dessen Verstocktheit, sagt er, spricht Bände. Mag sein; nicht immer jedoch enthalten Bände die Wahrheit. Und dann: ein Kaninchen, das Fassaden erklettert? Vielleicht im Film. Dennoch: bedankte mich herzlich.

Schon ist alles wieder im Lot. Der Beethovenkopf ist gegipst, der Fußboden geflickt, der Sekretär aufgeräumt; nur das Spinett weist noch Kratzwunden auf. – Im Park vorhin, zwischen den Ulmen, eine Feuerstelle mit Hühnerknochen darin entdeckt. Drum herum: eine Katzenfährte und Sperlingsfußtapfen. Ganz in der Nähe, unter

einer Ulme verborgen: ein Bündel mit Einbrecherwerk-
zeug. Schob meine Karte darunter.

Das Spinett klingt womöglich noch zerbrechlicher als
sonst; man merkt ihm an: es hat Angst ausgestanden. –
Beethoven dagegen hat nichts von seiner Würde verloren.

Durch Boten soeben einen fettfleckigen Zettel: »Besten
Dank, daß Du dichthieltst. Sind Dir verbunden. –
Thisbe und Emil.« – Kommentarlos.

Dieser Februarhimmel liegt wie ein zu kurzes Plumeau
auf den Feldern. Hin und wieder zieht ein Kirchturm es
sich unter das Kinn, dann sehen der verärgerten Sonne
am anderen Ende die Füße hervor.

Meinen Eintagsfliegenroman beendet. [Siebenhundert-
undsechsundneunzig Seiten; engzeilig.] Enttäuscht, wie
schnell so was geht. [Vielschreiben ist im Grunde eine
genauso schlechte Gewohnheit wie Faulsein. Dosiert
schreiben – *das* ist die Kunst.]

Sehnsucht, einen stimmungsträchtigen Vierzeiler zu fertigen.

Was sind denn das schon: fünfzig uferlose Seiten am
Tag?: Ein notiertes Geschwätz, ein Bleistiftmarathon-
lauf, eine vom Verleger verordnete Gehirnspülung be-
stenfalls. Dagegen so ein Gedicht . . .

Endlich meines Unbehagens durch einen ehernen Drei-
zeiler Herr geworden. Ich setze ihn her.

»Die Wüste erwartet dich:
taulos, mit ermatteten Heuschrecken.
Aber die Sandkörner singen.«

Überlegung: Soll ich als Überschrift »Reiseprospekt«
oder »Tag X« wählen? – Nein: Es titellos lassen; mag
die Welt rätseln.

Mit Laura das Postratespiel. Dabei allerlei Interessantes
erfahren. Beziehe es jedoch nicht mehr auf mich; es be-
trifft eine mir bekannt gewesene Person, mit der ich mich
überworfen, weil sie sich der Mitwelt verschrieben.

Es ist gekommen, wie ich vermutet: Das Wohnungsamt
hat mir eine Meerschweinchenfamilie ins Söllerzimmer
gesetzt: elf Personen. – Doch es taut, und im Park läuten
die Meisen. – Sehnsucht nach frischen Radieschen.

Die Meerschweinchenfamilie beträgt sich manierlich.
Laura hat den Kindern den Staubsauger zum Spielen gegeben. – An den Steuerbeamten wegen der Nietzschebüste geschrieben. Sie fehlt mir sehr.

Gespräch mit dem Meerschweinchenmann. Er ist arbeits-
los. – Die Soziale Frage ist viel leichter zu lösen als ich
gedacht: Eine Zeitvertreib-Reform müßte kommen;
dann hörte auch diese ruchlose Kinderkriegerei auf.

Noch mehr erziehen, nur Wesentliches zu schreiben.
[Wahrscheinlich ist selbst ein Zweizeiler bereits zu lang.]

Die letzten Nächte an einem genialischen Halbzeiler ge-
feilt. Jetzt noch die dazugehörige Fußnote [er ist zu ge-
drängt, um auf Anhieb verstanden zu werden].

Es hat wieder gefroren. – Die Meerschweinchenfrau liegt in den Wehen. Laura weilt bei ihr. Der Meerschweinchenmann ist nirgends zu finden; sicher hat er ein schlechtes Gewissen. Hätte er sich das denn nicht *früher* zulegen können?

Abermals [durch einen Zufall] in Lauras Boudoir eine Illustrierte gefunden. [Dieser ihr wiederaufkeimender Hang zum Vulgären bestürzt mich.]

Ein Telegramm meines Verlegers. Mein Eintagsfliegenroman werde wie eine Bombe [!] einschlagen. Er habe ja immer gesagt, daß ein Romancier in mir stecke. – Ein *Romancier!* In *mir!!* Mich schaudert.

Die Meerschweinchenfrau ist niedergekommen; sie hat Sechslingen das Leben geschenkt. [Als wäre das Leben ein bändchengeschmücktes Marzipanosterei, das es lediglich zu überreichen gelte.]

Befremdet. Laura wechselt bereits zum vierten [!] Mal diese Woche ihre Frisur. Neuerdings gebraucht sie auch wieder jenes aufdringliche Dienstmädchenparfüm, das mich seinerzeit so häufig in Wallung gebracht. Was ist nur in sie gefahren? – Der Verwalter muß etwas angestellt haben; er grüßte mich eben, daß seine Ohren fast den Boden berührten.

Eine gräßliche Nacht hinter mir. Die Dobermännin war hier. In ihrem Gefolge drei Schlittenladungen Künstler. Man machte Grammophonmusik und betrank sich. Selten, gestand mir die Dobermännin beim Abschied, seien ihre Kulturellen Abende so harmonisch verlaufen wie der.

Die Dobermännin war hier

Szene mit Laura. Ich hätte mit der Dobermännin geflirtet. Revanchierte mich, indem ich ihr ihren Frisurwechsel vorhielt. [Streit macht klein: Vorm Frisierspiegel abends fand ich mich kaum noch.]

Der Weißbartkaktus ist eingegangen. Eine Warnung? [Wenn ja: wovor? Wenn nicht: warum *dann?*]

Die Sonne wärmt schon ein bißchen. Tagsüber beweinen die Eiszapfen die Feigheit des Winters, nachts züchtigt er sie für ihren Kleinmut mit krachenden Hieben. Doch der Morgenhund ist auf seiten der Sonne. Zärtlich leckt er der zitternden Erde den Pelz. – Jetzt ein gefrorenes Amsellied sein!

Nichts als Unannehmlichkeiten. Man hat mir, höre ich eben, irgend so einen Literaturpreis verliehen.

Der Steuerbeamte schickte freundlich grüßend die Nietzschebüste zurück. Er bittet [da sie täglich staubgewischt worden] um eine kleine Vergütung. – Habe ihm die »Sterntränen« geschickt.

Den Meerschweinchenmann am Selbstmord gehindert. *Das* ist eine Logik: sechs Kindern *schenkt* er das Leben, sich *nimmt* er's. Habe ihm eine Vollmacht, die Abhebung des Literaturpreises betreffend, geschrieben; drei bis vier Tage kommt er mit dieser Summe schon weiter.

Meine Großmutter erschien mir im Traum. Sie tröstete mich. Als ich sie fragte, weshalb, gestand sie, es trete erst ein; da sie jedoch den genauen Zeitpunkt nicht wisse, wolle sie vorsorglich sein. – Gute, die.

Aha. Beim Verwalter dieselbe Illustrierte entdeckt, wie ich sie kürzlich bei Laura gefunden.

Richtig: in seiner Wohnküche riecht es auch nach ihrem Parfüm. Gelassen bleiben.

Über die Eifersucht meditiert. – Sie ist eine Schwäche. Nie Lieben mit Behaltenwollen verwechseln! [Will ich die Wolke am Abendhimmel behalten? Nein. Dennoch liebe ich sie.] Laura war ein Stäubchen der Welt, die ich liebe. Nun fliegt es davon; wie dürfte mich das beleidigen? Geht nicht alles mal fort, um strahlender wiederzukommen? Auch Laura war nur ein Vorentwurf. Der Verwalter mag ihre Person, ja, selbst ihre Substanz lieben. Ich jedoch liebe die *Möglichkeiten* dieser Substanz.

Die Meerschweinchen haben den Literaturpreis schon aufgefressen. [Nun sind es allerdings auch siebzehn Personen.] – Die Druckfahnen des »Weltentau«-Zyklus korrigiert. Darin viel Trost.

Es ist gekommen, wie ich vermutet: Laura liebt den Verwalter; seine derb-biedere Art gefällt ihr; er sei so »unerhört männlich«. [Was für ein Glück, daß ich ihr nicht die »Sterntränen« gewidmet!]

Lang am Spinett. Überlegung, wie meinen Schmerz am besten verwerten. [Stickerei oder Zyklus?]

Zu einem Zyklus entschlossen. Titel: »Das gezügelte Herz«. Komme gut vorwärts.

Es taut; der Weiher ist eisfrei. Die Goldfische sehen blechern und abgehärmt aus. Bald streut die Sonne Imi

Die Goldfische sehen blechern und abgehärmt aus

ins Wasser und putzt der Frühling sie blank. [Den Zyklus auf siebenunddreißig erhöht.]

Indigniert. Zwei der Meerschweinchentöchter sind schwanger. – Mal ein Sonett die Soziale Frage betreffend; Grundtenor: anklagend.

Laura ist zum Verwalter gezogen. [Im Zyklus auf neunzig; bin tadellos drin jetzt.]

Post. Die Eule schickte zwei ihrer neuesten Reformationsromane sowie vier Bände Lyrik. Dazu eine Karte: Der Frühling sei das Fest des Verzeihens. [Festigung meiner These, Festen gegenüber mißtrauisch zu sein.]

Alwine erschien mir im Traum. Was die versprochene Brennschere mache. Beeilte mich zu erwachen und nahm ihr die meine ins Bett mit. Leider jedoch von etwas anderem geträumt. [Nun werde ich sie ihr wohl mit der Post senden müssen.]

Der Meerschweinchenmann jubelt: Seine Söhne sind untergebracht; alle bei der Armee. – An *diese* Lösung der Sozialen Frage noch gar nicht gedacht.

Die »De-profundis«-Druckfahnen kamen. Diesmal hat der Herr, der die Fremdwortgedichte macht, nicht nur das Vor-, sondern auch gleich das Nachwort verfaßt. – Versuchen, wenigstens einige Fußnoten unterzubringen.

Laura, berichtete einer meiner Sänftenträger soeben, hat sich mit dem Verwalter gestritten; er kann ihre gespreizte Sprechweise nicht ausstehen. – Im Zyklus auf hundertneunundreißig gekommen.

Alwine hat die Brennschere erhalten; sie schickte mir Gamelanklänge dafür. Schade: einer war leider versehrt.

Im Studio der Heidschnucken-Allianz heute den Aufnahmen jener packenden Szene des »Hauses hinterm Hünengrab« beigewohnt, wo der erblindete Oberförster, im Glauben, den Wilddieb vor sich zu haben, auf das verwaiste Osterlamm schießt. Sehr realistisch. – Eine Puppe kennengelernt.

Abermals im Studio der Heidschnucken-Allianz. Lange nach der Puppe Ausschau gehalten. Endlich fand ich sie. Sie lag unter einem Kostümberg, den man achtlos auf sie geworfen. Sie ist das Holdeste und Zarteste, das mir jemals begegnet. Bebend gebeten, sie wiedersehen zu dürfen. Da man ihr keinen Mund aufgemalt, mußte sie schweigen. Doch in ihren Blumenblicken summte ein Ja.

Die Nacht den Zyklus voranzutreiben versucht. Unmöglich; dauernd an Lou denken müssen. [So nenne ich sie.] – Schön; dann enthält »Das gezügelte Herz« eben nur hundertneununddreißig Sonette.

Mein Bruder erschien mir im Traum. Er war erregt. Was ich wohl wähnte, weshalb ich der Weihen für würdig erwählt? – Welcher Weihen? wollte ich wissen. – Jener der Zelle, gab er zurück, und der meiner Krankheit. Ich: Doch wohl, um das Warten zum Wägen zu wenden. »Eben!« bellte mein Bruder. [Er war so zornig, daß er noch sichtbar blieb, als mein Traum schon eine ganze Weile zu Ende.] Beunruhigt.

Bei Lou. – Lange nach ihr gesucht. Der Kostümberg war abgetragen; man hatte sie in den entgegengesetzten Winkel geworfen. Dort saß ich bei ihr, hielt ihre Hand und las ihr aus den »Sterntränen« vor. Oh der überströmenden Wehmut, die einen in ihrer Nähe befällt! Diese Sternblumenaugen im bleichen Pudergewölk ihres Gesichts! Der porzellanene Hauch ihrer Schläfen! Dies verblichene, wie von einer kränkelnden Sonne durchschienene Rosa ihrer winzigen Ohren! –: Ich vergehe, wenn ich nur an sie denke.

Bei Lou. – Diesmal hing sie überm Stuhl des Regieassistenten. [Daß ich diesem Unhold nicht mal die Hosenbeine zerfetze!] Behutsam hob ich Lou auf und trug sie hinüber in die Kulisse des Gasthofs »Zum rotblonden

Heiner«. [Da heute in der Hünengrabattrappe gedreht wird, hatten wir den ganzen Schankraum für uns.] Ich las nicht mehr; Lous Anblick verschlägt einem die Stimme. Sie saß, die weit geöffneten Augen zur Decke gerichtet, etwas zurückgelehnt da, die Arme hingen herab, als gehörten sie ihr nicht mehr. Trostlos und doch des Trostes bedürftig wie die bleiche Scheibe des Frühlingsmondes, stieg ihr Antlitz überm bebenden Zelt meines Herzens herauf; mundlos, blicklos sah es herab auf meine sich schmerzlich verkrampfenden Zehen. Ich hörte den Wind der Welt, er prallte ans Zelt, er rüttelte an der Bespannung; dann zerriß das Gewölk, alle Sterne erloschen, der Wind holte dreimal tief Luft, und dort, das Kinn auf die Zeltspitze gestützt, stand das erste und letzte, stand das hehrste Gestirn meiner Nacht: Lou, der Geliebten Gesicht . . .

Lou, Lou, Lou . . . Ich denke nichts andres, ich fühle nichts andres, ich sehe nichts andres, ich höre nichts andres. – Wieder den ganzen Tag bei ihr. – Ich starb fast: Man hatte sie in die Himmelskulisse geworfen und diese dann hochgezogen; so hing sie, gut zehn Meter über mir, kopfunter am Saum einer sanft hin und her schwingenden Pappwolke. Nur der Freundlichkeit eines Beleuchters verdanke ich es, daß man die Wolke herabließ. – Das Wirtshaus war heute besetzt [man drehte die Hochzeit des Forstadjunkten mit der Tochter vom Imker-Loisl]; so zogen wir uns ins Innre der Hünengrabattrappe zurück. – Ich kann Lous Anblick nicht mehr beschreiben: Die Armseligkeit ihrer teilnahmslos pendelnden Glieder, die Entrücktheit ihres Gesichts – das lähmt mir Atem, Sprache und Puls; ich will Abhilfe schaffen, sie muß dort heraus.

Lou, Lou, Lou ...

Die letzten Vorbereitungen sind getroffen: Habe Lou
Lauras Boudoir eingerichtet; sie soll es wie eine Elfen-
königin haben. Jetzt gehe ich sie holen [und wenn ich
das ganze Atelier beißen müßte].

Alles ist aus; nach diesen Zeilen mache ich Schluß. Lou ist entehrt: man hat sie auf den Kehricht geworfen. Stürzte sofort hin; allein, die Städtische Müllabfuhr ist schneller gewesen, nur noch eine Konservenbüchse hat einsam im Rinnstein gelegen. Füge nichts weiter hinzu. Ich mag nicht mehr leben; ich gehe jetzt sterben.

DER MEERSCHWEINCHENMANN HAT ES VERHINDERT; ER kam gerade dazu, als ich mir im Park einen Baum für die Schlinge aussuchte. Er freute sich, daß ich ihm so schnell eine Möglichkeit, sich zu revanchieren, geboten. [Er war richtig glücklich, daß es soweit mit mir gekommen.]

Und was nun mit der Last dieser Welt? Oh, tut Ein- und Ausatmen weh! Meine Seele stößt sich an jedem Lufthauch. Lou auf dem Kehricht … Allmächtiger Gott. – Und draußen wird es Frühling. Lüge; alles Lüge und Bluff; pfui.

Entschlossen, Lou einen Gedenkstein zu setzen; gemaserter Marmor auf granitenem Sockel. [Vielleicht einen Zweizeiler drauf? Oder nur einfach mein Wappen?]

Nein. Tausendmal besser: Ich schreibe einen Zyklus auf Lou [siebzehn Sonette habe ich schon].

Den ganzen Tag glühend am Zyklus für Lou. Bin großartig drin; das strömt nur so. [Tagespensum: einunddreißig Sonette. Jetzt weiter.]

Unmöglich zu schreiben; beide Meerschweinchentöchter sind niedergekommen.

Im Park unvermutet auf Laura gestoßen. [Der Verwalter scheint sie recht spartanisch zu halten, es steht ihr aber nicht schlecht.] – Die erste Amsel gehört.

Noch nie schrieb ich derart beschwingt. Müßte ich tags nicht wegen der Meerschweinchen aussetzen, ich hätte längst schon das Doppelte. [So leider nur zweihundertundzweiundzwanzig im ganzen.]

Titel des Bandes: »Marmor und Harfe«. Widmung: »Gelegt vor die Füße von Lou«.

Einen meiner Sänftenträger entlassen. Habe ihn über der Lektüre eines Bündels unzüchtiger Seiten aus dem Roman eines gewissen Günter Grass angetroffen. Ich finde: *wenn* schon unzüchtig, dann mit Kultur. – Der Verwalter will im Park wieder ein Zwiebelbeet anlegen. Selbst wenn Laura *nicht* bei ihm wäre: Nein.

Überrascht. Die Meerschweinchen ziehen aus. Die ganze Familie hat Anstellung in einer Kaserne gefunden; teils als Scheuerfrauen, teils als Casinobedienung. – Jerum, jerum, und wie jetzt das Söllerzimmer vermieten? Mit dem Zyklus heute nicht so recht voran.

Ein Riesenlärm auf dem Hof; es heißt, der Verwalter habe Lauras Tornüren verbrannt.

Mit der Post eben: Anfrage eines weiteren Verlegers, eventuell vorhandene Tagebuchaufzeichnungen betreffend. Warum nicht; Edles kann es nie zuviel geben. Werde wohl diese Blätter hier schicken. Titel: »Rückstrahlungen« oder so ähnlich. Bedingung: Auf Bütten.

Er scheint sie recht spartanisch zu halten

Und: Unter meiner Anleitung illustriert. [Man möchte schließlich auch seinen Spaß haben.]

Laura hat um eine Unterredung gebeten. Werde ihrem Wunsche wohl nachkommen müssen.

Von meinem Bruder zu träumen versucht. Vergeblich; er scheint mir zu zürnen. – Den Lou-Zyklus beendet. – Die Unterredung mit Laura fand statt; der Verwalter wäre brutal; sie möchte zurück. Kommentarlos.

Soeben im Park. Strahlendes Wetter. – Nahm einen Spaten und grub ein Spargelbeet um. Dabei einen merkwürdigen Fund: Eine wunderbare Kristallschale. Darin ein Kupfertäfelchen. Auf diesem, in meiner Schrift: »Daß Du im Frühling Freude hast.« – Sehr beglückt. – Mich entschlossen, Lauras Ansinnen stattzugeben. [Das Leben ist kurz; man muß sich bemühen, freundlich zu sein.]

Dem Verwalter gekündigt.

Einen neuen Mieter fürs Söllerzimmer gefunden: Eine Fledermaus. Generöse Persönlichkeit; sie arbeitet beim Ministerium und ist, wie sie die Gewogenheit hatte, mich wissen zu lassen, augenblicklich dabei, ein Werk über die Reorganisation des Luftschutzes zu schreiben. [Die Miete zahlt sie im voraus.]

Am Spinett und ein wenig gemozärtelt. – Mein Soir de Paris geht zur Neige.

Die Nacht einen denkwürdigen Traum. Ich schwebte im All: ich hatte Fledermausflügel und eine ausgediente Gasmaskenbüchse umhängen. [In dieser befand sich mein Frühstück.] Plötzlich vernahm ich einen Flugzeugmotor; und nicht lange, da gewahrte ich auch einen sich schnell vergrößernden Punkt, welcher sich näherkommend in einen kanariengelben Aeroplan verwandelte; er wurde von Anusch gesteuert. [Nach diesem Traum klänge

»Thisbe Miautzek« verletzend.] Am Schwanz des Flugzeugs war ein Parfümzerstäuber befestigt; diesen bediente von Fittig. Alles Niedrige ging ihm jetzt ab; als er meiner ansichtig ward, grüßte er außerordentlich artig herüber, und Anusch gar warf mir Kußhände zu. Indessen hatten sich die Soir-de-Paris-Schwaden, die dem Parfümzerstäuber entquollen, zu einer machtvollen Gewitterwolke verdichtet. Donner grollte, Blitze zuckten, und indes eine Aufwindspirale das Flugzeug wie einen rotierenden Klavierhocker ins Wesenlose hinaufschraubte, setzte tief unten ein Geräusch ein, als ob Hagelschloßen auf ein Rhabarberfeld prasselten, ein erdbebenhaftes Getöse schallte herauf, dann riß die Wolkendecke entzwei, das Ätherkorsett eines Regenbogens erstrahlte, und im Schein schwefelfarbener, durchdringend nach Soir de Paris duftender Wolkenrabatten tauchte unten, wie ein Nilpferdrücken aus fallender Flut, das Dach des Parthenons aus dem Nebel. Zugleich setzte die zarteste Mozartmusik ein, so daß ich erst ganz erstaunt war; bis ich entdeckte: auf dem Parthenondach stand ein Spinett; daran saß, eine riesige, gesteifte Schleife im Haar: Laura; die spielte. Jetzt bemerkte ich auch die Ursache jenes zuvor gehörten Getöses: Ein gebirghohes Denkmal war zusammengestürzt, deutlich sah man noch eine mächtige Faust aus den Trümmern herausragen. Dennoch brauchte ich einige Zeit, ehe ich die zerschmetterte Kolossalstatue des Kulturreferenten erkannte. Ich wollte mir die Trümmer eben näher besehen, da vernahm ich über mir das Geräusch eines verrosteten Flaschenzugs; zugleich kam eine verwaschene Wolkenkulisse herniedergeschwebt, mit einem harten Ruck hielt sie neben mir an, und nun erst gewahrte ich: meine Großmutter, Alwine und Lou standen auf ihr. [Auch der Ballon und die Taube waren zugegen; diesen hatte Lou sich am Handgelenk festgebunden, jene saß auf der Schulter Alwinens.] Sie verbeugten sich vor mir. Ich wartete einen Augenblick, ob nicht noch mein Bruder dazukäme [er scheint mir jedoch noch zu zürnen], dann begann ich mich ebenfalls zu verbeugen. Im selben Augenblick ließ auf dem Parthenondach Laura [obwohl ich ihr das schon hundertmal untersagt habe] knallend den Spinettdeckel zufallen. Dieses Geräusch erschreckte mich so –

– Gräßlicher Lärm auf der Treppe. [Tippe auf Laura, die ihre Hutschachteln im Boudoir deponiert.]

Eben nachgesehen: Tatsächlich.

Wolfdietrich Schnurre

Funke im Reisig
Erzählungen. 218 Seiten. Leinen

Ohne Einsatz kein Spiel
Heitere Geschichten. Mit Zeichnungen des Autors.
285 Seiten. Leinen

Schnurre heiter
Heitere Erzählungen und anderes. Mit Zeichnungen des
Autors. 500 Seiten. Leinen

Glücklicherweise ist er einer von jenen, die nicht aufhören
zu glauben, man könne mit der Literatur auf das Leben der
Deutschen Einfluß ausüben. Man sagt, seine Form sei die
Kurzgeschichte. Das ist nicht ganz richtig. Am stärksten erweist sich sein Talent in der poetischen Prosaminiatur, die
oft als Parabel bezeichnet werden kann. Dieser strengen
Form vermag sich nur zu bedienen, wer über sehr viel
Phantasie verfügt und die Kunst des Weglassens erlernt hat.
Schnurres Phantasie scheint keine Grenzen zu kennen. Er
hat zahllose, meist vortreffliche Einfälle. Es gelingt ihm
nicht selten, diese Einfälle überzeugend, ja sogar vollendet
zu gestalten. *Marcel Reich-Ranicki*

bei Walter

Anekdoten, Märchen, phantastische Geschichten

Deutsches Anekdotenbuch
Eine Sammlung von Kurzgeschichten aus vier Jahrhunderten

Laß nur die Sorge sein
Ein fröhliches Hausbuch mit heiteren und besinnlichen Gedichten

Das Nashorn als Erzieher
Fabeln der Welt von Aesop bis Eugen Roth

Ein Wort gibt das andere
Von Schelmen und Narren

Die Zauberflöte
Märchen europäischer Völker

Münchhausens wunderbare Reisen. Die phantastischen Geschichten des Lügenbarons

Deutsches Anekdotenbuch

dtv

Laß nur die Sorge sein
Ein fröhliches Hausbuch mit Versen von gestern

dtv

Das Nashorn als Erzieher
Fabeln der Welt

dtv

Die Zauberflöte
Märchen europäischer Völker

dtv

Allgemeine Reihe dtv

dtv

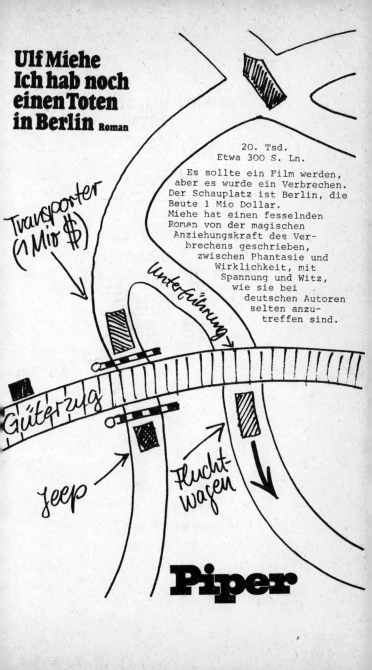

**Ulf Miehe
Ich hab noch
einen Toten
in Berlin** Roman

20. Tsd.
Etwa 300 S. Ln.

Es sollte ein Film werden,
aber es wurde ein Verbrechen.
Der Schauplatz ist Berlin, die
Beute 1 Mio Dollar.
Miehe hat einen fesselnden
Roman von der magischen
Anziehungskraft des Ver-
brechens geschrieben,
zwischen Phantasie und
Wirklichkeit, mit
Spannung und Witz,
wie sie bei
deutschen Autoren
selten anzu-
treffen sind.

Transporter
(1 Mio $)

Unterführung

Güterzug

Jeep

Flucht-
wagen

Piper

Frankfurter Allgemeine

ZEITUNG FÜR DEUTSCHLAND

bei 7 bis
das Jahr 197..

Der Arbeitgeb..
..schen Industrie in .
derung „mit großer
Kenntnis genommen.
Arbeitgeberkreisen ver:
völlig außerhalb jeder .
keit. Erst vor wenigen Ta

..f zu Be-
..se an die Ge-
..atte, heftiger zu
.. Als ein Zeichen
..ste Forderung der
..naft in Hessen, die
die gewerblichen Ar-
..angt, angesehen sowie
..n über die gerade lau-

auf allen Kontinenten

..n diesem Zusammenhang
..wert, daß sich auch der
· IG Metall, Otto Bren-
..dpa erneut gegen die
..sgesprochen hat. Wie
..‎ Metall dazu weiter
..nt es die Gewerk-
..für weitere mög-
..n diesem Jahr
..nbruch der
..entwort-
..

so stark geschrumpft seie
tragslage der Unternehm
zend bezeichnet werder
wird von den Arbeitg
darauf hingewiesen, ‎
schaft in jüngsten Ve
drücklich darauf v
nicht daran der
Lohnüberhang
also eine F·
seit .·

für Leser und Inserenten

pocket

Reihe bei k&w

pocket 7
Günter Wallraff
13 unerwünschte
Reportagen
288 Seiten, Broschur DM 12,–

pocket 34
Günter Wallraff
Neue Reportagen,
Untersuchungen und
Lehrbeispiele
168 Seiten, Broschur DM 12,–

pocket 36
Heinrich Böll
Freies Geleit
für Ulrike Meinhof
192 Seiten, Broschur DM 8,–

pocket 37
Konrad Wünsche
Die Wirklichkeit
des Hauptschülers
136 Seiten, Broschur DM 10,–

pocket 38
Willy R. Lützenkirchen
Verbrechen ohne Richter
152 Seiten, Broschur DM 10,–

pocket 43
Das schwarze Kassenbuch
Die heimlichen Wahlhelfer
der CDU/CSU
Herausgegeben vom Presse-
ausschuß der Demokratischen
Aktion unter Mitarbeit von
Bernt Engelmann
ca. 128 Seiten, Broschur ca. DM 6,–

pocket 42
Schwarzbuch
Franz Josef Strauß
128 Seiten, Broschur DM 4,80

pocket 44
Autorenkollektiv
Revolutionäre Erziehung
im Kapitalismus
und Sozialismus
Kritik an der antiautoritären
Erziehung
ca. 176 Seiten, Broschur DM 14,–

pocket 45
Heinz Ludwig Arnold
Das Lesebuch
der siebziger Jahre
Kritik und Neuentwurf
128 Seiten, Broschur DM 12,–

pocket 46
Kritischer Studienführer
Materialien für Abiturienten
und Studienanfänger
Mit dokumentarischem Anhang
ca. 160 Seiten, Broschur DM 10,–

Verlag
Kiepenheuer & Witsch
5 Köln 51
Rondorfer Straße 5
Ruf 387038